Odette

i inne historie miłosne

Eric-Emmanuel Schmitt

Odette
i inne historie miłosne

przekład
Jan Brzezowski

WYDAWNICTWO ZNAK
KRAKÓW 2009

Tytuł oryginału
Odette Toulemonde et autres histoires

Projekt okładki
Olgierd Chmielewski

Fotografia na 1 stronie okładki
Wojciech Karliński

Opieka redakcyjna
Klementyna Suchanow

Adiustacja
Joanna Biedrońska

Korekta
Barbara Gąsiorowska
Kamila Zimnicka-Warchoł

Projekt typograficzny
Irena Jagocha

Łamanie
Ryszard Baster

ISBN 978-83-240-1145-2

Książki z dobrej strony: www.znak.com.pl
Społeczny Instytut Wydawniczy Znak, 30-105 Kraków, ul. Kościuszki 37
Bezpłatna infolinia: 0800-130-082, e-mail: czytelnicy@znak.com.pl

... ten bukiet kwiatów, który wyruszył na poszukiwanie serca, a znalazł tylko flakon.

Romain Gary
Au-del à de cette limite votre ticket n'est plus valable

Wanda Winnipeg

Całe w skórach wnętrze rollsa i w skórach szofer aż po rękawiczki. Kufer po brzegi pełen skórzanych waliz i toreb. Ze skóry pleciony sandałek - zwiastun wysmukłej nogi - w progu drzwi limuzyny. Ze skóry szkarłatny kostium Wandy Winnipeg.

Służba w liberiach zgina się w ukłonach.

Wanda przekracza próg, na nikogo nie zwraca uwagi. Nie patrzy, czy bagaże podążają za nią - jakżeby zresztą mogło być inaczej?

Za kontuarem drżą recepcjoniści. Wykrzykują powitalne formuły, choć nie potrafią przyciągnąć jej wzroku - oczy skryte ma za ciemnymi szkłami.

- Witamy, pani Winnipeg! To dla nas wielki zaszczyt gościć panią w Royal Emeraude! Zrobimy, co w naszej mocy, by pobyt upłynął pani tak przyjemnie, jak to tylko możliwe!

Odbiera owe oznaki czci w milczeniu, niczym należne jej drobne monety, oni zaś nadal zwracają się do niej, jakby uczestniczyła w rozmowie.

– Salon piękności otwarty jest od siódmej rano do dziewiątej wieczorem. Tak samo sala *fitness* i pływalnia.

Na jej twarzy pojawia się grymas. Pracownik, od którego to zależy, w popłochu stara się z góry rozwiązać problem.

– Ale oczywiście, jeśli tylko pani sobie życzy, możemy zmienić godziny wedle pani potrzeb.

Nadbiega w pośpiechu zasapany dyrektor. Podąża za nią, skomląc piskliwym głosem:

– Cóż za wielki zaszczyt, pani Winnipeg, gościć panią w Royal Emeraude! Zrobimy, co w naszej mocy, by pobyt upłynął pani tak przyjemnie, jak to tylko możliwe!

Jako iż powtórzył ten sam frazes co podległy mu personel, Wanda Winnipeg kpiąco się uśmiecha, nie kryjąc się wcale przed pracownikami, jakby chciała powiedzieć: „Niezbyt rozgarnięty ten wasz szef, nawet się od was zgrabniej nie umie wyrażać", a potem odwraca się, by wyciągnąć rękę do pocałowania. Dyrektor nie chwyta ironii ani się jej nie domyśla, Wanda bowiem odpowiada łaskawie:

– Mam istotnie nadzieję, że nie spotka mnie rozczarowanie. Księżna Mathilde bardzo zachwalała pański hotel.

Odruchowym stuknięciem obcasów – coś pomiędzy salutującym wojskowym a tancerzem tanga dziękującym za taniec - dyrektor potwierdza, że jest pod wrażeniem: pojmuje, że goszcząc Wandę Winnipeg, będzie miał pod swym dachem nie tylko jedną z największych w świecie fortun, ale i kobietę, która ma do czynienia z Almanachem Gotajskim.

- Zna pan oczywiście pana Lorenza Canali?

Niedbałym gestem przedstawia swego kochanka, pięknego mężczyznę o długich czarnych lśniących niczym woskowane włosach, który skłania głowę, uśmiechając się z lekka. Jest znakomity w roli księcia-małżonka, który z powodu swej niższej pozycji musi odnosić się do innych milej niż królowa.

A potem Wanda oddala się do swych pokoi - świetnie wie, że za jej plecami rozlegają się szepty:

- Myślałem, że jest wyższa... Jaka piękna kobieta! I wydaje się młodsza niż na fotografiach, co nie?

Ledwie przekroczywszy próg apartamentu, czuje, że będzie jej tu dobrze, ale kiedy słucha dyrektora, wychwalającego zalety hotelu, na twarzy Wandy pojawia się sceptyczny grymas. Mimo ogromnych przestrzeni, dwóch łazienek wyłożonych marmurem, zatrzęsienia kwiatów, wysokiej jakości telewizorów, kunsztownej markieterii mebli jej głód nie został zaspokojony. Na razie zadowala się stwierdzeniem, że przydałby się telefon na tarasie, jeśli będzie miała ochotę rozmawiać z leżaka.

– Tak jest, proszę pani, ma pani absolutną rację, zamontujemy go za minutkę.

Nie mówi oczywiście dyrektorowi, że nigdy nie skorzysta z aparatu, bo używa wyłącznie komórki – terroryzuje go, póki jest pod ręką, aby potem lepiej jej służył. Dyrektor Royal Emeraude zamyka drzwi, cały w ukłonach, obiecując przymilnie złote góry.

Wanda, nareszcie sama, wyciąga się na kanapie, pozostawiając Lorenzowi i pokojówce ułożenie ubrań w szafach. Wie, że robi wrażenie, i zawsze ją to bawi. Jako że zachowuje własne zdanie, cieszy się respektem; ponieważ odzywa się tylko po to, by coś skrytykować, boją się jej. Zamieszanie, jakie powoduje wszędzie, gdzie się pojawi, nie wynika jedynie z jej bogactwa, rozgłosu ani też niezwykłej urody: bierze się również ze swego rodzaju legendy, która ją otacza.

Czegóż takiego w końcu udało się jej dokonać? Ona sama uważa, że sprowadza się to do dwóch podstawowych zasad: wiedzieć, jak dobrze wyjść za mąż oraz jak się dobrze rozwieść.

Z każdym kolejnym małżeństwem wspinała się po społecznej drabinie. Ostatnie – piętnaście lat temu – uczyniło z niej osobę, jaką jest obecnie.

Wychodząc za amerykańskiego miliardera Donalda Winnipega, zyskała sławę, gdy kolorowe magazyny na całym świecie zamieściły fotoreportaże z ich ślubu. A potem trafiła na okładki z okazji rozwodu - jednego z najbardziej soczystych i rozreklamowanych przez media w ostatnich latach. To dzięki niemu znalazła się wśród najbogatszych kobiet na całej planecie.

Od tamtej chwili prowadziła wygodne życie rentierki, zatrudniając wybitnych fachowców, by dbali o jej interesy, a jeśli się nie sprawdzali, bez skrupułów się ich pozbywała.

Lorenzo wszedł i zagruchał słodkim głosem:

- Wando, jaki mamy program na dzisiejsze popołudnie?

- Możemy najpierw ponurkować w basenie, a potem odpoczniemy sobie w pokoju. Co ty na to?

Lorenzo natychmiast tłumaczy sobie na swój język oba rozkazy: wpierw będzie się przypatrywać, jak Wanda przepływa swoje dwa kilometry, a potem się z nią kochać.

- Wspaniale, zachwyca mnie taka perspektywa.

Wanda posyła mu przychylny uśmiech; Lorenzo nie ma wyboru, ale to elegancko z jego strony, że odgrywa przyjemność ze swego poddaństwa.

Lorenzo udaje się do łazienki; delikatnie kołysząc biodrami, pozwala jej podziwiać swą wysmukłą talię i wygięcie lędźwi, a ona marzy pożądliwie, że niedługo już będzie ugniatać dłońmi jego jakże męskie pośladki.

To właśnie w facetach lubię najbardziej - i bądź tu mądry dlaczego!

Rozmawiając z sobą, Wanda używa prostych zdań i gminnych zwrotów, które zdradzają jej pochodzenie. Na całe szczęście, jedynie ona je słyszy.

Lorenzo powraca w lnianej koszuli i obcisłych kąpielówkach, gotów towarzyszyć jej na basen. Nigdy jeszcze Wanda nie miała równie doskonałego towarzysza: nie rozgląda się za innymi kobietami, darzy sympatią jedynie przyjaciół Wandy, jada podobnie jak ona, wstaje o tej samej porze i ma nieustannie dobry humor. Nieważne, czy mu się to podoba, czy wręcz odwrotnie - wypełnia przecież tylko swoje obowiązki.

Zważywszy to wszystko - jest doskonały. Ja w końcu też nie jestem w tym najgorsza.

Stwierdzając to, Wanda ma na myśli nie swoje ciało, ale zachowanie: podczas gdy Lorenzo prowadzi się jak zawodowy żigolo, ona również wie, jak się takiego powinno traktować. Jeszcze kilka lat temu z powodu jego ugrzecznionej, nieskazitelnej postawy i galanterii podejrzewałaby go o homoseksualizm. Dzisiaj niezbyt jest dla niej ważne, czy Lorenzo ma ochotę również na mężczyzn – wystarcza jej, że na każde życzenie dobrze sobie radzi w łóżku. I nic poza tym. Nie chce też wiedzieć, czy aby – jak tylu innych – nie wstrzykuje sobie ukradkiem czegoś w toalecie, żeby stał mu na baczność, kiedy się z nią kocha...

My, kobiety, umiemy tak dobrze udawać... Co nam szkodzi, jeśli oni też oszukują?

Wanda Winnipeg dotarła do owej szczęśliwej chwili żądnej sukcesów kobiety, kiedy nareszcie cynizm przemienia się w mądrość: wyzwolona z okowów moralności, cieszy się życiem takim, jakie jest, i mężczyznami, jacy po prostu są – nie oburza jej już nic.

Zagląda do kalendarzyka i sprawdza wakacyjne plany. Ponieważ nienawidzi się nudzić, ustala wszystko z góry: wieczorki dobroczynne, zwiedzanie zabytków, spotkania z przyjaciółmi, wyprawy na skuterach wodnych, masaże, otwarcia nowych restauracji, inauguracje nocnych klubów, bale kostiumowe. Nie ma tu miejsca na improwizację – przewidziany jest nawet czas na zakupy oraz sjestę. Wszyscy z jej osobistego personelu, łącznie z Lorenzem, otrzymują kopię programu i mają obowiązek sprzeciwić się natrętowi, który za ich pośrednictwem chciałby wywalczyć obecność pani Winnipeg przy swym stole albo się do niej dosiąść.

Uspokojona, przymyka oczy. Zaczyna jej przeszkadzać zapach mimozy. Zmieszana, prostuje się i z niepokojem rozgląda wokół. Fałszywy alarm – jest tylko swą własną ofiarą. Ten zapach przypomniał jej, że to właśnie tu spędziła część dzieciństwa, że w tamtych czasach była biedna i wcale nie miała na imię Wanda. Nikt o tym nie wie i nikt nigdy się nie dowie. Sfabrykowała swój życiorys całkowicie od nowa – wedle niego urodziła się w Rosji, opodal Odessy. Wiarygodności owemu mitowi dodaje akcent, który wyćwiczyła w pięciu językach, podkreślony jeszcze przez jej chrapliwy głos.

Wstając, potrząsa głową, by oczyścić pamięć. Żegnajcie, wspomnienia! Wanda ma wszystko pod kontrolą – swoje ciało, zachowanie, interesy, seks oraz przeszłość. Należą się jej wspaniałe wakacje. Przecież za to zapłaciła.

Następny tydzień upłynął cudownie.

Przenosili się z „wybornych" kolacji na „wyśmienite" obiady, nie zapominając o „boskich" wieczorach. Towarzystwo z „wielkiego świata" wszędzie rozmawiało o tym samym i Wanda wraz z Lorenzem prędko nauczyli się zabierać głos – jak gdyby spędzili całe lato na Lazurowym Wybrzeżu – na temat korzyści na dyskotekach z karty wstępu dla uprzywilejowanych, powrotu stringów („Pomysł dziwny, ale jeśli ktoś może sobie pozwolić, to cóż..."), tej „pasjonującej" gry, w której trzeba mimiką wyrazić tytuł filmu („Ach, gdybyście widzieli, jak Nick próbował nam pokazać *Przeminęło z wiatrem*!”), wózków elektrycznych („Idealne do wyjazdów na plażę”), bankructwa Arystotelesa Paropulosa, a przede wszystkim w sprawie prywatnego samolotu tych nieszczęsnych Sweetensonów, który się roztrzaskał („Jednosilnikowy, moja kochana, czy takim się lata, gdy kogoś stać na prywatny odrzutowiec?!”).

Ostatniego dnia wypłynęli na jachcie Farinellich („Ależ tak, to ten król włoskich sandałów, tych lekkich, z podwójnym paskiem na kostce, tylko on się liczy”) na spokojne wody Morza Śródziemnego.

Kobiety prędko odgadły, do czego ma służyć rejs: mianowicie by na przednim pokładzie - niezależnie od wieku - zademonstrować swe kształty, solidne biusty, cienkie talie i uda bez rozstępów. Wanda poddaje się temu całkiem naturalnie - wie, że jest wspaniale zbudowana i bardziej od innych zadbana. Lorenzo, jak zwykle przykładny, obrzuca ją gorącym spojrzeniem, niczym zakochany. Zabawne, co? Wanda wysłuchuje kilku komplementów, które wprawiają ją w dobry humor, poprawiony jeszcze różowym prowansalskim winem, i wraz z grupą rozbawionych miliarderów ląduje pontonem na plaży w Salins.

Przygotowano dla nich stół w cieniu słomianych mat kryjących miłą knajpkę.

– Może chcieliby państwo obejrzeć moje obrazy? Mam pracownię na końcu plaży. Możemy tam pójść, kiedy tylko państwo zechcą...

Nikt oczywiście nie odpowiada na pytanie zadane nieśmiałym głosem przez staruszka, zachowującego pełen szacunku dystans. Wszyscy śmieją się i rozmawiają głośno, jakby w ogóle nie istniał. Jemu zaś zdaje się, że go nie dosłyszeli, zaczyna więc od nowa:

– Może chcieliby państwo obejrzeć moje obrazy? Mam pracownię na końcu plaży. Możemy tam pójść, kiedy tylko państwo zechcą...

Tym razem pełna napięcia cisza zdradza, że intruz został dostrzeżony. Guido Farinelli spogląda brzydko na restauratora, który natychmiast posłusznie reaguje – podchodzi do staruszka, bierze go za ramię i wyprowadza, coś do niego powarkując.

Rozmowa znowu nabiera wigoru. Nikt nie zauważył, że Wanda pobladła.

Poznała go.

Pomimo upływu lat, które tak bardzo go zniszczyły („W jakim on może być wieku? Koło osiemdziesiątki..."), zadrżała, słysząc znów jego głos.

Natychmiast z wrogością odsuwa od siebie wspomnienie. Nienawidzi przeszłości. A nade wszystko nienawidzi tamtej przeszłości, kiedy żyła w nędzy. Stawiając tu stopę, ani przez chwilę nie myślała o tym, że kiedyś już chodziła po plaży w Salins, po piasku usianym gęsto czarnymi skałkami. To było tak dawno temu, w czasach, których nikt już nie pamięta, w czasach gdy nie była jeszcze Wandą Winnipeg. Ale wspomnienie, pomimo jej wysiłków, uparcie powraca – zdziwiona Wanda czuje, jak ogarnia ją gorąca fala szczęścia.

Przechyla się dyskretnie, by przyjrzeć się staruszkowi, którego restaurator usadził gdzieś na boku, stawiając mu pastis. Ciągle jeszcze ma ten nieco zagubiony wygląd, to zadziwienie dziecka, które nie bardzo pojmuje świat.

Och, już w tamtych czasach nie wyróżniał się inteligencją. Teraz może być tylko gorzej. Ale za to jaki był piękny!...

Łapie się na tym, iż się czerwieni. Tak, ona, Wanda Winnipeg, żona dolarowych miliarderów, czuje łaskotanie w gardle i mrowienie na policzkach, tak samo jak tamta piętnastoletnia dziewczyna...

Wstrząśnięta, boi się, że sąsiedzi przy stole mogą dostrzec jej wzburzenie, ale zamiast tego rozmowy, podlane różowym winem, nabierają tempa.

Wanda, z uśmiechem na ustach, wymyka się kompanii i nie ruszając się z miejsca, ukryta za ciemnymi szkłami, powraca do przeszłości.

Miała wtedy piętnaście lat. Według swej oficjalnej biografii, mieszkała w Rumunii i pracowała w fabryce papierosów – o dziwo, nikt nie próbował sprawdzić tego szczegółu, z nutką romantyzmu czyniącego z niej rodzaj Carmen, która zdołała wyrwać się z nędzy. W rzeczywistości od kilku miesięcy przebywała niedaleko stąd, w Fréjus, w domu dla trudnej młodzieży, przede wszystkim sierot. Nigdy nie poznała ojca, ale jej matka - ta prawdziwa - jeszcze wówczas żyła; lekarze uznali jednak, iż jest w takim stanie, że lepiej odseparować małą, aby uchronić ją od narkotyków.

Wanda nie miała na imię Wanda, lecz Magali. Głupie imię, którego nienawidziła. Z pewnością dlatego że nikt nigdy nie wymawiał go z miłością. Już wtedy kazała nazywać się inaczej. Jak właściwie? Wendy? Tak, Wendy - bohaterka *Piotrusia Pana*. Pierwszy krok w stronę Wandy...

Odrzucała swoje imię i odrzucała rodzinę - obie te rzeczy wydawały się jej straszliwą pomyłką. Bardzo wcześnie poczuła się ofiarą czyjegoś błędu: ktoś w szpitalu musiał zamienić noworodki. Była pewna, że jej przeznaczeniem jest bogactwo i sukces, a zesłano ją do króliczej klatki przy ruchliwej szosie, do ubogiej, brudnej, obojętnej narkomanki. Wściekłość, spowodowana poczuciem niesprawiedliwości, ukształtowała jej charakter. Wszystko, co miała w przyszłości przeżyć, brało się z zemsty - pragnęła wynagrodzenia doznanych krzywd: świat winien jej był odszkodowanie wraz z odsetkami za katastrofalny początek.

Wanda zrozumiała, że da sobie radę sama. Przyszłość wyobrażała sobie niezbyt precyzyjnie, wiedziała jednak, iż nie ma co liczyć na dyplomy. Jej nauka już przedtem przebiegała chaotycznie, a od czasu gdy z powodu drobnych kradzieży sklepowych znalazła się w domu poprawczym, miała do czynienia wyłącznie z nauczycielami, którzy bardziej dbali o swój autorytet niż postępy uczniów - pedagodzy specjalni mieli za zadanie przede wszystkim wychowywać, a dopiero potem uczyć. Wanda doszła więc do wniosku, że wyrwie się stamtąd przy pomocy mężczyzn. Mężczyznom się podobała - to było oczywiste. I podobało się jej, że im się podoba.

Kiedy tylko mogła, urywała się z zakładu i jechała rowerem na plażę. Była otwarta i ciekawa świata, łakomie zawierała nowe znajomości; umiała też przekonać, że mieszka w pobliżu wraz z matką. Wierzono jej, bo była ładna, i traktowano jak miejscową dziewczynę.

Pragnęła przespać się z facetem, tak jak inne dziewczyny w jej wieku pragną zdać trudny egzamin - dla niej miał to być dyplom, który podsumuje jej bolesne dorastanie i pozwoli rzucić się w wir prawdziwego życia. Ale chciała, żeby stało się to z mężczyzną, prawdziwym mężczyzną, a nie z chłopakiem w jej wieku. Już wtedy była ambitna, a wątpiła, by piętnastoletni smarkacz mógł ją czegoś naprawdę nauczyć.

Badała rynek okolicznych samców ze skrupulatną powagą, podobnie jak potem przez całe swe życie. W owym czasie na przestrzeni pięciu kilometrów wyróżniał się jeden: Césario.

Wanda wysłuchiwała wyznań kobiet, które uważały go za kochanka doskonałego. Césario nie tylko miał wspaniałe, opalone, wysportowane, smukłe ciało – widoczne tym bardziej iż żył na plaży jedynie w kąpielówkach – ale również uwielbiał płeć piękną i był znakomity w łóżku.

– Wszystko ci zrobi, mała, wszystko! Jakbyś była królową! Wszędzie będzie cię pieścił, wszędzie będzie cię lizał, kąsał w uszka, pośladki, nawet w duży palec u nogi; będziesz jęczeć z rozkoszy całymi godzinami, on... Posłuchaj, Wendy, po prostu nie ma równie zwariowanych na punkcie bab facetów. Tylko on jeden. Cóż, ma pewną wadę, nie umie się przywiązać. Z ducha jest kawalerem. Żadnej z nas nie udało się go zatrzymać. Ale zauważ, to nam odpowiada, zawsze możemy z nim spróbować szczęścia, od czasu do czasu do niego wrócić. Nawet po ślubie... Ach, ten Césario!...

Wanda obserwowała Césaria, jakby miała wybrać uniwersytet.

Podobał się jej. Nie tylko dlatego że kobiety tak go zachwalały. Naprawdę się jej podobał... Ta jego skóra w kolorze karmelu, gładka i aksamitna... Zielone tęczówki, pobłyskujące złotawo, otoczone bielą czystą jak muszla... Jasne, błyszczące złotem pod światło włosy i ta świetlista aura, bijąca od jego ciała... Jego piękny rzeźbiony tors... A przede wszystkim jego pośladki, zwarte, kształtne, mięsiste i wyzywające. Kontemplując od tyłu Césaria, Wanda po raz pierwszy poczuła, że męskie pośladki pociągają ją tak jak mężczyzn kobiece piersi. Gdzieś z głębi jej trzewi płynęło pożądanie, ogarniające płomieniem całe ciało. Kiedy biodra Césaria znajdowały się blisko, z trudem potrafiła powstrzymać ręce, by ich nie dotykać, by ich nie głaskać i pieścić.

Niestety, Césario nie bardzo na nią zwracał uwagę.

Wanda odprowadzała go do łodzi, żartowała, proponowała, że przyniesie mu coś do picia lub lody albo żeby w coś zagrali. Odpowiadał jej zawsze dopiero po paru sekundach, z uprzejmością zabarwioną lekkim rozdrażnieniem.

– Jesteś bardzo miła, Wendy, ale naprawdę cię nie potrzebuję.

Była na niego wściekła: może on jej nie potrzebował, ale ona jego tak! Im bardziej się opierał, tym bardziej wzrastało jej pożądanie – to będzie on albo nikt! Pragnęła stać się kobietą z tym najpiękniejszym, chociaż był biedakiem. Potem będzie czas sypiać z bogaczami o odrażającym ciele.

Pewnej nocy napisała do niego długi list miłosny, pełen żaru, oddania i nadziei, który tak ją wzruszył, gdy go przeczytała, że nie miała wątpliwości, iż musi odnieść zwycięstwo. Czy ktokolwiek mógłby się oprzeć takiemu ładunkowi miłości?

Kiedy się z nim spotkała następnym razem, spojrzał na nią surowo i zimnym głosem kazał jej iść z sobą na pomost. Usiedli twarzą do morza, zwieszając stopy tuż nad wodą.

– Wendy, jesteś przemiła, że napisałaś mi to, co napisałaś. Naprawdę czuję się zaszczycony. Wyglądasz mi na fajną dziewczynę, bardzo uczuciową...

– Nie podobam ci się? Uważasz, że jestem brzydka, i o to chodzi!

Wybuchnął śmiechem.

– Spójrzcie na tę tygrysicę, gotową do skoku! Nie, to nie tak, jesteś bardzo piękna. Nawet za bardzo. I to jest problem. Nie jestem łajdakiem...

– Co chcesz przez to powiedzieć?

– Masz piętnaście lat. Co prawda wyglądasz na starszą, ale ja wiem, że masz piętnaście lat. Powinnaś jeszcze poczekać...

– A jeśli nie chcę czekać...

– Jeśli nie chcesz czekać, rób, co chcesz, z kim ci się podoba. Ale radziłbym ci poczekać. Nie powinnaś się kochać byle jak, z byle kim.

– Właśnie dlatego wybrałam ciebie!

Zdziwiony uporem dziewczyny Césario ocenił ją od nowa.

– Jestem bardzo wzruszony, Wendy, i możesz być pewna, że powiedziałbym ci „tak", gdybyś była pełnoletnia, przysięgam! Natychmiast powiedziałbym ci „tak". Albo raczej nie miałabyś powodu, żeby pytać, bo to ja goniłbym za tobą... No ale ponieważ nie jesteś pełnoletnia...

Wanda zalała się łzami, jej ciałem wstrząsały spazmy smutku. Césario próbował ostrożnie ją pocieszać, pilnując, by korzystając z okazji, nie przykleiła się do niego.

Parę dni później Wanda wróciła na plażę podbudowana tym, co powiedział: podobała mu się! Jeszcze go dopadnie!

Zastanowiwszy się nad sytuacją, postanowiła przede wszystkim zyskać jego zaufanie.

Odgrywając na jego użytek rolę rezolutnej nastolatki, przestała go nachodzić i próbować go zabawiać, zamiast tego zaczęła studiować Césaria – tym razem od strony psychologicznej.

W wieku trzydziestu ośmiu lat Césario uchodził za, jak to mówią w Prowansji, *glandeura*: pięknego faceta, który żyje z niczego – ryb, jakie złowi – i marzy tylko o tym, by korzystać ze słońca, morza oraz dziewczyn, nie dbając o przyszłość. Ale nie była to prawda: Césario miał swą wielką pasję – malował. W jego drewnianej chatce, stojącej pomiędzy plażą a drogą, tłoczyły się dziesiątki desek (nie stać go było na gruntowane płótno) i walały się zużyte pędzle oraz tubki farb. Choć nikt go za takiego nie uważał, we własnych oczach Césario uchodził za prawdziwego malarza. Jeśli się nie ożenił, nie założył rodziny, wciąż zmieniał przyjaciółki, to nie z powodu – jak wszyscy myśleli – lekkomyślności: to była ofiara, oddanie się bez reszty powołaniu artysty.

Na nieszczęście, wystarczył krótki rzut oka, by stwierdzić, że efekty nie były warte wszystkich tych wysiłków: Césario produkował bohomaz za bohomazem, nie potrafił rysować i nie miał ani wyobraźni, ani wyczucia koloru. Pomimo długich godzin spędzanych przy pracy nie miał szans, by się czegoś nauczyć, jego pasji towarzyszyła bowiem absolutna nieumiejętność samooceny: swe zalety uważał za wady, a wady za zalety, niezręczność podnosił do rangi stylu, a intuicyjną równowagę form w przestrzeni obrazu burzył pod pretekstem, iż była „zbyt klasyczna".

Nikt nie brał na serio jego twórczości – ani galernicy, ani kolekcjonerzy, a tym bardziej kochanki. Dla Césaria obojętność ta potwierdzała jego geniusz: powinien nadal kroczyć własną drogą, aż w końcu go docenią, niechby nawet pośmiertnie!

Wanda pojęła to wszystko i postanowiła wykorzystać. W przyszłości miała stosować podobną technikę, uwodząc kolejnych mężczyzn - metodę, która mądrze stosowana, zawsze odnosi triumf: pochlebstwo. Nie należało zachwycać się ciałem Césaria; to go nie obchodziło - wiedział, że jest piękny, i z tego korzystał. Trzeba było zainteresować się jego sztuką.

Przeczytawszy parę książek pożyczonych z biblioteki w zakładzie poprawczym (historia sztuki, encyklopedia malarstwa i jakieś biografie artystów), powróciła odpowiednio wyekwipowana, by z nim dyskutować. Na początek utwierdziła go w jego sekretnym przekonaniu: był artystą wyklętym i podobnie jak van Gogh, znosząc szyderstwa współczesnych, w końcu zyska sławę - a w oczekiwaniu na tę chwilę ani przez sekundę nie powinien wątpić w swój geniusz. A potem zaczęła mu towarzyszyć, w czasie gdy pacykował swoje deski, i stała się mistrzynią w sztuce wygłaszania pełnych zachwytu frazesów na temat jego kolorowej papki.

Césario był wzruszony do łez, że spotkał Wandę. Nie potrafił się już bez niej obejść. Ucieleśniała to, o czym nie miał nawet śmiałości marzyć:

prawdziwie siostrzaną duszę, powierniczkę, impresaria, muzę... Z każdym kolejnym dniem potrzebował jej coraz bardziej – z każdym kolejnym dniem coraz bardziej zapominał o tym, jaka jest młoda...

Aż wreszcie wydarzyło się to, co musiało się wydarzyć: Césario się zakochał. Wanda zdała sobie z tego sprawę wcześniej niż on sam i na powrót zaczęła zachowywać się prowokacyjnie.

Czytała w jego oczach, że cierpi, nie mogąc jej dotknąć. Dzięki uczciwości – był bowiem porządnym facetem – udawało mu się jakoś powściągnąć, choć jego ciało i duch wyrywały się, by pieścić Wandę.

Mogła więc wreszcie zadać mu cios skracający jego męczarnie.

Nie pojawiała się przez trzy dni, chcąc, by się zaniepokoił i jeszcze bardziej jej zapragnął. Czwartego wieczora, a właściwie późno w nocy, cała we łzach wtargnęła gwałtownie do chatki.

– To straszne, Césario! Jestem taka nieszczęśliwa! Mam ochotę się zabić.

– Co się stało?!

– Mama powiedziała mi, że wyjeżdżamy do Paryża. Już nigdy więcej się nie zobaczymy!

Wszystko odbyło się tak, jak przewidywała: najpierw Césario pocieszał ją w swych ramionach, ale nie znalazła ukojenia (on też nie...), potem zaproponował, by wypić kroplę czegoś mocniejszego, co podniesie ich na duchu, a po paru kieliszkach, mnóstwie łez i przytuleń, kiedy już nie mógł się kontrolować, zaczęli się kochać.

Wanda przeżywała w upojeniu każdą chwilę tamtej nocy. Tutejsze dziewczyny miały rację: Césario po prostu wielbił kobiece ciało. Kiedy zaniósł ją do łóżka, miała wrażenie, że jest boginią składaną na ołtarzu – a potem składał jej hołdy aż do rana.

Oczywiście, ulotniła się o świcie i powróciła wieczorem, odgrywając równe poruszenie i rozpacz. Przez kilka tygodni pogubiony Césario usiłował co noc pocieszyć nastolatkę, którą najpierw kochał na odległość, by w końcu – oszalały skutkiem zbyt wielu dotknięć i przytuleń oraz łez otartych na powiekach i wargach – stracić moralne zasady i uprawiać z nią miłość z całą namiętnością, na jaką było go stać.

Kiedy Wanda doszła do wniosku, że posiadła już encyklopedyczną wiedzę na temat męsko-damskich związków w łóżku (nauczył ją też tego, co lubią samce) – zniknęła z dnia na dzień.

Powróciwszy do swego zakładu, nigdy już nie skontaktowała się z Césariem, zajęta doskonaleniem sztuki rozpusty przy pomocy kilku kolejnych facetów, a potem z radością dowiedziała się, że jej matka przedawkowała i wyzionęła ducha.

Nareszcie wolna, uciekła do Paryża, gdzie zanurzyła się w nocnym życiu metropolii i wykorzystując płeć męską, rozpoczęła swój społeczny awans.

– Wracamy na jacht czy wynajmiemy materace na plaży? Wanda... Wanda! Słyszysz mnie? Wracamy na jacht czy wolisz wynająć materac na plaży?

Wanda otwiera oczy, mierzy wzrokiem zmieszanego jej nieobecnością Lorenza i oświadcza:

– A gdybyśmy poszli obejrzeć płótna tego miejscowego artysty?

– No nie, to musi być straszne! – wykrzykuje Giudo Farinelli.

– Czemu nie? To może być całkiem zabawne! – ripostuje natychmiast Lorenzo, który nie przepuszcza żadnej okazji, by dowieść Wandzie, jak bardzo jest jej oddany.

Grupka miliarderów dochodzi do wniosku, że będzie to rozrywkowa wyprawa, i podąża za Wandą, która zbliża się do Césaria.

– To pan zapraszał nas do swojej pracowni?

– Tak, proszę pani.

– A czy moglibyśmy teraz skorzystać z zaproszenia?

Stary Césario potrzebuje kilku sekund, by odpowiedzieć. Przyzwyczajony, że go grubiańsko zbywają, nie może się nadziwić, że ktoś zwraca się do niego uprzejmie.

Podczas gdy restaurator potrząsa Césaria za ramię, chcąc mu wyjaśnić, kim jest słynna Wanda Winnipeg i jaki honor go spotyka, ona dostrzega spustoszenia, które poczynił czas na ciele najpiękniejszego niegdyś na całej plaży mężczyzny. Włosy ma siwe i rzadkie; mści się na nim nadmiar słońca, które z roku na rok coraz bardziej zużywało jędrną niegdyś skórę, przemieniając ją w pokrytą plamami obwisłą powłokę, przypominającą tarkę na łokciach i kolanach. Jego nabite, otłuszczone, pozbawione talii ciało nie ma nic wspólnego z ciałem sławnego atlety z przeszłości. Tylko tęczówki oczu zachowały rzadką barwę zielonej ostrygi, ale straciły sporo blasku.

Choć sama niewiele się zmieniła, nie obawia się, że Césario ją rozpozna. Tlenione włosy, słoneczne okulary, niższy głos i rosyjski akcent, a przede wszystkim otaczające ją bogactwo z góry wykluczają identyfikację.

Wchodząc pierwsza do chatki, wykrzykuje z zachwytem:

– To wspaniałe!

Błyskawicznie pacyfikuje całą grupę szybkością działania: nie będą mieli czasu, by spojrzeć na kicze Césaria własnymi oczami – będą na nie patrzeć oczami Wandy, która przy każdym obrazie wydaje okrzyki zaskoczenia i zachwytu. Na pół godziny małomówna zazwyczaj Wanda Winnipeg przemienia się w gadatliwą, egzaltowaną entuzjastkę – nikt jej takiej dotychczas nie widział; Lorenzo nie wierzy własnym uszom.

Najbardziej zdumiony jest Césario. Spłoszony i milczący, zadaje sobie pytanie, czy to wszystko dzieje się aby naprawdę. Wciąż czeka na wybuch okrutnego śmiechu oraz sarkastyczne uwagi, które potwierdzą, że się z niego nabijają.

Hymny pochwalne płyną teraz również z ust innych bogaczy – zachwyt Wandy okazał się zaraźliwy.

– To jest rzeczywiście oryginalne...

– Wydaje się nieudolne, a tak naprawdę dowodzi mistrzostwa.

– Celnik Rousseau, van Gogh czy Rodin musieli robić podobne wrażenie na współczesnych – potwierdza Wanda. – A więc nie trwońmy więcej czasu artysty: ile?

– Przepraszam?

– Ile za ten obraz? Marzę o tym, by go powiesić w moim nowojorskim mieszkaniu; ściśle rzecz biorąc, naprzeciw łóżka. Więc ile?

– Nie wiem... Sto?

Wymieniając liczbę, Césario natychmiast tego żałuje: żąda zbyt wiele, zaczyna tracić nadzieję.

Sto dolarów to dla Wandy tyle co napiwek, jaki wręczy jutro portierowi w hotelu. Dla niego oznacza sumę, która pozwoli mu zwrócić dług w sklepie z farbami.

– Sto tysięcy dolarów? – odpowiada Wanda. – Myślę, że to rozsądna cena. Biorę.

Césario słyszy brzęczenie w uszach; jest u progu apopleksji. Zadaje sobie pytanie, czy dobrze zrozumiał.

– A ten sprzeda mi pan za tę samą cenę? Bardzo uatrakcyjni moją wielką białą ścianę w Marbelli... Och, bardzo pana proszę...

Césario machinalnie potakuje głową.

Próżny Guido Farinelli, wiedząc, że Wanda, znana ze świetnej głowy do interesów, stara się płacić za wszystko tyle, ile jest warte, zainteresował się innym bohomazem. Kiedy zaczyna się targować, Wanda przerywa mu w pół słowa:

– Mój drogi Guido, bardzo cię proszę... Nie można być kutwą, spotykając podobny talent. Mieć pieniądze to takie łatwe i pospolite, za to posiadać talent... Tak wielki talent... – Po czym zwraca się do Césaria: – To przeznaczenie! Obowiązek! Misja! To zadośćuczynienie za wszystkie nieszczęścia w życiu.

Daje sygnał do odwrotu, zostawia czek i uprzedza, że jej szofer zjawi się po obrazy wieczorem. Ogłupiały Césario ma białą ślinę wokół warg.

Właśnie rozegrała się scena, o której marzył przez całe życie, a on nie ma pojęcia, co odpowiedzieć; ledwie udaje mu się zachować przytomność. Chce mu się płakać, chciałby zatrzymać tę piękną kobietę, powiedzieć jej, jak trudno było przeżyć osiemdziesiąt lat bez krzty zainteresowania i uznania; pragnąłby jej wyznać, jak godzinami płakał w nocy, mówiąc sobie w głębi duszy, że może rzeczywiście jest beznadziejnym malarzem. I teraz, dzięki niej, oczyścił się ze swoich nieszczęść i zwątpień. Nareszcie może uwierzyć, że jego męstwo nie poszło na marne, że jego upór nie okazał się próżny.

Wanda podaje mu dłoń.

– Brawo, proszę pana! Jestem naprawdę szczęśliwa, że mogłam pana poznać.

Piękny deszczowy dzień

Wpatrywała się posępnie w zlany deszczem sosnowy las w Landach.

- Co za paskudna pogoda!

- Mylisz się, kochanie.

- Co? Spróbuj wystawić nos, zobaczysz, jak leje!

- No właśnie.

Przeszedł przez taras i zatrzymał się tuż przed ogrodem, na granicy spadających kropel. Rozdął nozdrza, pochylił głowę, by lepiej czuć wilgotne tchnienie, i z na wpół przymkniętymi oczami, wdychając zapach ołowianego nieba, wymruczał:

- Jaki piękny deszczowy dzień!

Wydawało się, że mówi szczerze.

Tamtego dnia nabrała ostatecznej pewności co do dwóch spraw: bardzo ją drażnił, ale gdyby mogła, zostałaby z nim na zawsze.

Hélène nie przypominała sobie, by kiedykolwiek zdarzyło jej się przeżyć chwilę doskonałą. Już jako małe dziecko niepokoiła rodziców swoim zachowaniem. Bez przerwy porządkowała pokój, zmieniała ubranie przy najmniejszej plamce, warkocze zaplatała dotąd, aż udało się jej osiągnąć nieskazitelną symetrię. Kiedy zabrano ją na *Jezioro łabędzie*, trzęsła się ze zgrozy - tylko ona dostrzegła, że tancerki nie trzymają linii, że ich spódniczki nie opadają w równym rytmie i że zawsze jedna z balerin - za każdym razem inna! - zakłóca harmonię ruchu. W szkole bardzo dbała o swoje rzeczy i kiedy jakiś niezgrabiasz zwracał jej książkę z zagiętym rogiem, wybuchała łzami, tracąc przy tym kolejną cząstkę nikłej wiary, jaką w głębi ducha pokładała w ludzkości. Dojrzewając, uznała, że natura nie jest więcej warta od człowieka; stało się tak, gdy stwierdziła, że jej piersi - powszechnym zdaniem, zachwycające - nie są idealnie takie same, że jedna z jej stóp upiera się przy numerze trzydziestym ósmym, podczas gdy druga mierzy trzydzieści osiem i pół, oraz że jej wzrost, pomimo wielkich wysiłków, nie chce przekroczyć metra i siedemdziesięciu jeden centymetrów. Metr siedemdziesiąt jeden! - co to w ogóle za liczba? Kiedy dorosła, niezbyt się przykładając, przeleciała przez prawnicze studia - przysiadała w uniwersyteckich ławach głównie po to, by upolować kolejnych narzeczonych.

Niewiele z dziewcząt miało tyle miłosnych przygód co Hélène. Te zaś, którym udało się zbliżyć do jej wyniku, kolekcjonowały kochanków z powodu erotycznej żarłoczności lub duchowego rozchwiania – Hélène czyniła to z pobudek idealistycznych. Każdy nowy chłopiec wydawał się jej nareszcie tym właściwym; oszołomiona spotkaniem, pod urokiem pierwszych chwil, przypisywała mu cechy, które sobie wymarzyła. Po kilku nocach i dniach, kiedy opadały złudzenia, a kandydat ukazywał się jej oczom w prawdziwej postaci, porzucała go równie zdecydowanie, jak przedtem po niego sięgała.

Cierpiała wciąż, próbując pogodzić dwie wykluczające się nawzajem rzeczy: idealizm i przenikliwość umysłu.

Zmieniając księcia z bajki co tydzień, nabrała w końcu odrazy do siebie i mężczyzn. Po dziesięciu latach młoda, pełna entuzjazmu i naiwności dziewczyna przemieniła się w rozczarowaną życiem, cyniczną trzydziestolatkę. Na szczęście nie odbiło się to w najmniejszym stopniu na jej wyglądzie, bo blond włosy dodawały jej blasku, sportowa żywiołowość uchodziła za wesołość, a błyszcząca jasna aksamitna skóra wciąż kusiła wszystkie męskie wargi.

To Antoine się w niej zakochał, gdy spotkali się przy okazji omawiania jakiejś sądowej ugody. Pozwoliła mu na ogniste zaloty, bo był jej obojętny. Trzydzieści pięć lat, ani ładny, ani brzydki, sympatyczny, opalony, o jasnobrązowych włosach i oczach, wyróżniał się jedynie wzrostem, mierzył bowiem dwa metry. Usprawiedliwiał się przed bliźnimi, że ich przerasta, wciąż się uśmiechając i z lekka się garbiąc. Panowała powszechna zgoda co do tego, że ma nadzwyczajny umysł, ale inteligencja nie imponowała Hélène, która uważała, że w tym względzie jej też niczego nie brakuje. Zasypywał ją wciąż uduchowionymi listami, telefonami, bukietami oraz zaproszeniami na interesujące wieczory – okazał się przy tym na tyle zabawny, tak konsekwentny i błyskotliwy, że Hélène, trochę z braku zajęcia, ale bardziej dlatego że nie przyszpiliła jeszcze do tej pory w swym zielniku równie gigantycznego osobnika, pozwoliła mu uwierzyć, że ją uwiódł.

Przespali się z sobą. Przyjemność, jaką jej to przyniosło, miała się nijak do szczęścia Antoine'a, niemniej zgadzała się, by kontynuował.

Ich związek trwał już od kilku miesięcy.

Z tego, co mówił, wynikało, że jest śmiertelnie zakochany. Gdy szli do restauracji, nie mógł się powstrzymać, by nie opowiadać o swych planach na przyszłość z Hélène w roli głównej: ten adwokat, rozrywany przez cały Paryż, chciał, by została jego żoną i matką jego dzieci. Uśmiechała się tylko bez słowa. Z szacunku, a może ze strachu, nie odważał się wymusić na niej odpowiedzi. Co właściwie myślała o tym wszystkim?

Tak naprawdę nie potrafiłaby tego ująć w słowa. Z pewnością przygoda ciągnęła się dłużej niż zazwyczaj, ale Hélène starała się o tym nie myśleć i nie wyciągać wniosków. Uważała, że Antoine jest... jakby to ująć?... „całkiem miły" - tak, nie użyłaby mocniejszego czy bardziej namiętnego określenia, by opisać odczucia, jakie sprawiały, że na razie z nim nie zrywała. Ponieważ w końcu i tak się go pozbędzie, po co się spieszyć?

By się co do tego upewnić, sporządziła spis wad Antoine'a. Pozornie był szczupły, ale kiedy się rozebrał, z jego długiego ciała wystawał dziecięcy brzuszek, który - co tu kryć - będzie się zdrowo rozwijał w następnych latach. Jeśli idzie o seks, przeciągał sprawę, zamiast powtarzać od nowa. Intelektualnie, choć błyskotliwy, czego dowodem była jego kariera i dyplomy, o wiele słabiej od niej znał języki obce. A jeśli chodzi o charakter, okazał się ufny, naiwny na granicy dziecięcej prostoty...

Żadna jednak z owych ułomności nie dawała powodu, by natychmiast przerwać związek; niedoskonałości Antoine'a właściwie wzruszały Hélène. Ta poduszeczka tłuszczu pomiędzy męskością a pępkiem była jak przytulna oaza na wielkim i kościstym samczym ciele - lubiła tam opierać głowę. Powolne smakowanie erotycznych przyjemności, po którym następował głęboki sen, odpowiadało jej teraz bardziej niż noc z nieobliczalnym ogierem, chwile pospiesznej ekstazy, przeplatane krótkimi sjestami. Ostrożne podejście do obcych języków było na miarę absolutnej perfekcji, z jaką operował mową ojczystą, jego prostoduszność zaś pozwalała jej się odprężyć. Poznając ludzi, Hélène najpierw dostrzegała ich słabości, ograniczoność, tchórzliwość, zazdrość, niepewność, lęki - ponieważ wszystkie te cechy nosiła w sobie, natychmiast rozpoznawała je u innych. Antoine przypisywał ludziom szlachetne intencje, istotne motywy, idealizm, jakby nigdy nie zajrzał pod przykrywkę czyjegoś ducha i nie poczuł, jak to wszystko śmierdzi, mrowiąc się aż od robactwa.

Ponieważ nie chciała, by przedstawił ją rodzicom, poświęcali soboty i niedziele na rozrywki mieszczuchów: kino, teatr, restauracje, włóczęgi po księgarniach i wystawach.

Cztery wolne majowe dni skusiły ich, by gdzieś wyjechać. Antoine zaprosił ją do mieszczącego się w willi hoteliku w Landach, który stał pomiędzy sosnowym lasem i plażą pełną białego piasku. Hélène, która znała dotąd jedynie ciągnące się w nieskończoność wakacje rodzinne nad Morzem Śródziemnym, z przyjemnością odkryła pełen grzmiących fal ocean, podziwiała ślizgających się po falach surferów i nawet zamierzała pójść na wydmy, by się poopalać na plaży nudystów.

Niestety, ledwie skończyli śniadanie, rozpętała się burza, która od pewnego czasu wisiała nad okolicą.

– Taki piękny deszczowy dzień! – powiedział, opierając się o balustradę od strony ogrodu.

Podczas gdy ona miała wrażenie, że znalazła się nagle w więzieniu, otoczona kratami deszczu na długie, pełne nudy godziny, on rozpoczynał poranek z równym apetytem, jaki odczuwałby pod błękitnym niebem.

– Taki piękny deszczowy dzień.

Spytała go, co może być pięknego w szarym deszczowym dniu, a on opowiadał o niuansach barw, jakie przybierze niebo, drzewa i dachy, kiedy wybiorą się na spacer po południu, o nieposkromionej potędze wzburzonego oceanu, o parasolu, który zbliży ich do siebie, gdy będą szli pod ramię, o szczęściu, jakie odczują, wracając na gorącą herbatę, o ubraniach suszących się przy kominku, o zmęczeniu, które wtedy z nich spłynie, o tym, jak będą się długo kochać, a potem pod kołdrą opowiadać sobie o swym życiu, niczym dzieci kryjące się w namiocie przed rozszalałą naturą.

Słuchała go. Szczęście, jakiego doznawał, wydawało się jej absolutną abstrakcją. Dla niej było niedostępne. Ale nawet abstrakcyjne szczęście warte jest więcej niż żadne. Postanowiła mu uwierzyć.

Tamtego dnia próbowała wślizgnąć się w wizję świata Antoine'a.

Podczas spaceru do miasteczka usiłowała dostrzegać to samo co on, a więc raczej stary kamienny mur niż dziurawą rynnę, wdzięk brukowych kostek, a nie to, jakie są niewygodne, uroczą kiczowatość witryn, a nie ich bezguście. Rzecz jasna, trudno było jej popaść w ekstazę na widok garncarza przy pracy (ugniatać rękami glinę w XXI wieku, gdy wszędzie pełno salaterek z tworzywa!) czy zachwycać się wyplataniem wiklinowych koszyków, co przypomniało jej okropne lekcje prac ręcznych, gdy musiała fabrykować prezenty nie z tej epoki, których nie dało się wykorzystać nawet przy okazji Dnia Ojca czy Dnia Matki. Skonstatowała ze zdumieniem, że sklepy ze starociami nie wpędzają Antoine'a w chandrę - doceniał w nich wartość wysłużonych rzeczy, podczas gdy ona wyczuwała tam zapach śmierci.

Kiedy wędrowali plażą, której wiatr nie miał czasu wysuszyć pomiędzy dwiema falami ulewy, zapadając się w przypominający płynny beton piasek, nie mogła powstrzymać się od narzekań:

- Morze w deszczowy dzień! Wielkie dzięki!

- Co ty w końcu lubisz? Morze czy słońce? Woda jest, horyzont jest, przestworzy też nie brakuje!

Wyznała, że dawniej wcale nie przyglądała się morzu ani brzegom. Wystarczyło jej wylegiwanie się na słońcu.

– Cóż, niewiele widzisz. Cały pejzaż sprowadzać do słońca...

Przyznała mu rację. Idąc z Antoine'em pod ramię, nie bez urazy zdała sobie sprawę, że świat jest dla niego o wiele bogatszy niż dla niej. Szukał wokół tego, co mogło go zadziwić – i udawało mu się to znaleźć.

Na obiad wybrali się do gospody, która – choć elegancka – urządzona była w chłopskim stylu.

– Nie przeszkadza ci to?

– Co?

– Że to wszystko jest udawane, ta gospoda, meble, obsługa. Że urządzili to dla klientów takich jak ty, jeleni takich jak ty. Turystyka dla wybranych, ale jednak tylko turystyka!

– To miejsce jest prawdziwe, kuchnia jest prawdziwa, a ja wraz z tobą jestem tutaj naprawdę.

Jego szczerość ją rozbroiła. Niemniej nalegała dalej:

– Nic cię tutaj nie drażni?

Dyskretnie rozejrzał się wokół.

– Uważam, że atmosfera jest miła i ludzie przyjemni.

– Ci ludzie są straszni!

– Co ty opowiadasz? Są całkiem zwyczajni.

– Popatrz, ta kelnerka... O tam! Jest przerażająca.

– No nie, ona ma ze dwadzieścia lat, ona...

– Ależ tak. Ma zbyt blisko osadzone oczy. Bardzo małe i bardzo blisko osadzone.

– I co z tego? Nawet nie zauważyłem. I ona pewnie też nie. Wygląda mi na kogoś, kto jest pewien swych wdzięków.

– No i chwała Bogu! Inaczej pewnie musiałaby popełnić samobójstwo! I popatrz, ten facet od wina... Brakuje mu zęba z boku. Nie zauważyłeś, że nie byłam w stanie na niego patrzeć, kiedy podszedł do stolika?

– Hélène, przecież nie będziesz unikać z kimś kontaktów, dlatego że mu brakuje zęba?

– Tak, będę.

– No nie! Przecież nikt nie staje się przez to podczłowiekiem, niegodnym twojego szacunku. Niepokoisz mnie! Człowieczeństwo nie zależy od doskonałości uzębienia.

Kiedy kończył swoje uwagi jakimś tego rodzaju wzniosłym filozoficznym stwierdzeniem, czuła się zbyt głupia, aby się upierać.

– I co jeszcze? – zapytał.

– Na przykład ci ludzie przy sąsiednim stoliku.

– Co z nimi jest nie tak?

– Są starzy.

– To jakaś ujma?

– Chciałbyś, żebym wyglądała tak jak oni? Sflaczała skóra, wydęty brzuch, obwisły biust?

– Myślę, że jeśli tylko mi pozwolisz, wciąż będę cię kochać, kiedy będziesz stara.

– Nie opowiadaj bzdur. A tamta smarkula?

– Co? Czego znów brakuje tej biednej dziewczynie?

– Wygląda jak wiedźma! W ogóle nie ma szyi. I chyba należy jej współczuć, patrząc na jej rodziców!

– Jej rodziców?

– Ojciec nosi perukę, a matka ma wole!

Wybuchnął śmiechem. Nie wierzył jej – myślał, że mówi to wszystko, żeby go rozbawić. Ale Hélène była naprawdę zdegustowana tym, co rzucało się jej w oczy.

Kiedy osiemnastoletni kelner o sfalowanych włosach przyniósł im kawę, Antoine pochylił się ku niej.

– A on? Piękny chłopak. Nie wiem, do czego mogłabyś się przyczepić.

– Naprawdę nie widzisz? Ma tłustą cerę i wągry na nosie. Ogromne pory w skórze, można powiedzieć, rozdęte!

– Ja jednak myślę, że biegają za nim wszystkie dziewczyny w okolicy.

– A do tego jest z tych, co udają czyściochów. Uwaga! Wątpliwa higiena! Zastrzał na wielkim palcu u nogi. Ryzykuje się niemiłe niespodzianki przy odpakowywaniu...

- No nie, zmyślasz! Wyczułem, że pachnie wodą toaletową.

- No właśnie, to bardzo zły znak! To nie najczystsi chłopcy nadużywają perfum.

Mało brakowało, by dorzuciła: „Wierz mi, wiem, o czym mówię", ale powstrzymała się od aluzji do czasów, gdy kolekcjonowała mężczyzn. Poza wszystkim innym nie miała pojęcia, co Antoine o tym wie - na szczęście studiował na innej uczelni.

Śmiał się tak głośno, że zamilkła.

Przez kilka następnych godzin zdawało się jej, że chodzi po linie nad przepaścią - wystarczyła jedna chwila nieuwagi, by spadła w otchłań smutku. Wiele razy zdołała się przekonać, jak bardzo jest ona przepastna. Smutek wabił ją, nakazywał jej skoczyć, chciał, by się w nim całkiem zanurzyła; czuła zawroty głowy, kusiło ją, by zanurkować. Wczepiła się więc kurczowo w optymizm Antoine'a, który niestrudzenie, z uśmiechem na ustach, opisywał jej, jak odczuwa świat - jego promienna wiara stała się jej kotwicą.

Wrócili do willi późnym popołudniem. Kochali się długo, a Antoine tak bardzo się starał, by ją zadowolić, że tłumiąc rozdrażnienie, przymknęła oczy na otaczającą ją przygnębiającą rzeczywistość. Ze wszystkich sił starała się wziąć udział w grze.

O zmierzchu była zupełnie wyczerpana – Antoine nie przypuszczał nawet, jak ciężką bitwę toczyła z sobą przez cały dzień.

Na zewnątrz wiatr usiłował połamać sosny, traktując je jak zapałki.

Wieczorem, przy świecach, pod malowanymi belkami liczącego sobie kilkaset lat sufitu, przy mocnym winie, którego sama nazwa sprawiała, że do ust napływała ślinka, Antoine zadał jej pytanie:

– Może stanę się najnieszczęśliwszym człowiekiem na świecie, ale odpowiedz mi w końcu: czy chcesz stać się kobietą mojego życia?

Była u kresu wytrzymałości.

– Nieszczęśliwy? Ty? Nie jesteś przecież do tego zdolny. Na wszystko patrzysz od dobrej strony.

– Wierz mi, jeżeli odmówisz, będzie ze mną bardzo niedobrze. Cała moja nadzieja jest w tobie. Tylko od ciebie zależy, czy będę naprawdę szczęśliwy czy bardzo nieszczęśliwy.

W gruncie rzeczy, mówił banały; zwyczajne ble-ble, kiedy prosi się o rękę... Ale ponieważ to był on – dwa metry pozytywnej energii i dziewięćdziesiąt kilogramów ciała gotowego do radości – czuła, że jej to pochlebia.

Zadawała sobie pytanie, czy szczęście może być zaraźliwe... Czy kochała Antoine'a? Nie. Dzięki niemu czuła się lepsza. Poza tym bawił ją. Ale drażnił ją jego niepoprawny optymizm. Podejrzewała, że nie będzie w stanie z nim wytrzymać, tak bardzo się różnili. Czy człowiek powinien wiązać się ze swym osobistym wrogiem? Na pewno nie. Ale z drugiej strony, czego naprawdę potrzebowała? Ona, która budzi się nieodmiennie w złym humorze; ktoś, dla kogo wszystko jest brzydkie, niedoskonałe, bezwartościowe? Swego przeciwieństwa. A Antoine bezspornie był jej przeciwieństwem. Choć go nie kochała, było jasne, że go potrzebuje. Albo kogoś takiego jak on. Ale czy znała podobnych do niego? Tak. Na pewno. W tej chwili nie przychodzili jej do głowy, ale mogła jeszcze poczekać; lepiej by zrobiła, gdyby poczekała. Jak długo jeszcze? Czy inni będą tak cierpliwi jak Antoine? A ona, czy zdobędzie się na cierpliwość, aby jeszcze czekać? Na co zresztą ma czekać? Miała w nosie mężczyzn, nie liczyła na to, że jeszcze wyjdzie za mąż, nie miała zamiaru rodzić i wychowywać dzieci. A do tego do jutra pogoda się nie poprawi i jeszcze trudniej będzie zwalczyć nudę.

Rozważywszy wszystkie te powody, odparła szybko:

– Tak.

Po powrocie do Paryża ogłosili zaręczyny i przyszły ślub. Bliscy Hélène nie mogli wyjść z podziwu:

– Jak ty się zmieniłaś!

Z początku nic nie odpowiadała, ale potem, by sprawdzić, jak daleko się posuną, rzucała, by ich zachęcić:

- Ach tak? Tak uważasz? Naprawdę?

Wówczas wpadali w pułapkę i rozwijali temat:

- Tak, nikt nigdy by nie przypuścił, że jakiś facet tak cię uspokoi. Żaden dotychczas nie znajdował łaski w twoich oczach i nic nie było dla ciebie wystarczająco dobre. Nawet ty. Nie miałaś litości. Wszyscy byli przekonani, że żaden mężczyzna, kobieta, pies, kot czy złota rybka nie jest w stanie zainteresować cię dłużej niż na pięć minut.

- Antoine jakoś potrafił.

- Co on takiego ma w sobie?

- Nie powiem.

- To pewnie to! To musi być miłość! Nigdy nie trzeba tracić nadziei.

Nie wyprowadzała ich z błędu.

Tylko ona wiedziała, że tak naprawdę się nie zmieniła. Po prostu milczała, nic więcej. W głębi ducha życie wciąż wydawało się jej złe, głupie, niedoskonałe, rozczarowujące, frustrujące i nieprzynoszące satysfakcji. Ale te przekonania nie przekraczały już bramy jej ust.

Co dał jej Antoine? Kaganiec. Mniej szczerzyła zęby i ukrywała swoje myśli.

Zawsze wiedziała, że nie potrafi oglądać świata od dobrej strony, nadal w każdej twarzy, stole, mieszkaniu czy sztuce teatralnej dostrzegała jakąś niewybaczalną skazę, która nie pozwalała jej ich cenić. Wciąż w wyobraźni przerabiała ludzkie twarze, poprawiała makijaż, ułożenie obrusów, serwetek, nakryć, przestawiała ściany, wyrzucała meble na śmietnik, zrywała zasłony, wymieniała aktorkę w roli amantki, skracała drugi akt, usuwała zakończenie filmu, a kiedy poznawała kogoś nowego, tropiła tak samo jak dawniej jego głupotę i słabości, ale przemilczała rozczarowanie.

Rok po ślubie, o którym mówiła: „najpiękniejszy dzień w moim życiu", wydała na świat dziecko. Kiedy wzięła je do rąk, uznała, że jest brzydkie i flakowate – Antoine tymczasem dał mu na imię Maxime i mówił do niego „moja miłości". Zmusiła się, by go naśladować i od tej pory nieznośny, wrzeszczący kawał sikającego i srającego mięsa, który rozerwał przedtem jej wnętrzności, stał się na kilka lat przedmiotem najczulszej troski Hélène. Po nim pojawiła się mała Bérénice – skandaliczna kępka włosów na jej głowie od razu wzbudziła w niej obrzydzenie, ale i nią zajęła się niczym wzorowa matka.

Nie znosiła się tak bardzo, że postanowiła głęboko zagrzebać własne zdanie i w każdej sytuacji spoglądać na wszystko oczami Antoine'a. Żyła tylko na powierzchni, więżąc w sobie kobietę, która nadal, pełna pogardy i sarkazmu, krytykowała, co tylko mogła, i tłukła w drzwi celi, na próżno wołając przez judasza. By należycie odgrywać komedię szczęścia, przemieniła się w więzienną strażniczkę.

Antoine wciąż spoglądał na nią z bezgraniczną miłością i szeptał: „miłość mojego życia", głaszcząc ją po pupie i całując w szyję.

– Kobieta jego życia? W gruncie rzeczy to niewiele – mówiła uwięziona.

– To już jest coś – odpowiadała strażniczka.

Otóż to. To nie było szczęście, tylko jego pozory. Szczęście *per procura*, szczęście przez osmozę.

– To tylko iluzja – podpowiadała więźniarka.

– Zamknij się! – wrzeszczała wówczas strażniczka.

Toteż Hélène zaczęła wyć, gdy powiedziano jej, że Antoine miał atak w ogrodzie.

Biegła przez alejki, bo chciała jak najprędzej zadać kłam temu, co próbowano jej wmówić. Nie, Antoine nie umarł. Nie, nie mógł przecież skonać na słońcu. Nie, Antoine, choć ma słabe serce, nie mógłby tak odejść. Pęknięcie tętniaka? Śmieszne... Nic nie mogłoby powalić nagle tak wielkiego ciała. Czterdzieści pięć lat to nie jest wiek na umieranie. Banda idiotów! Bezczelni kłamcy!

Ale rzucając się na ziemię, odgadła natychmiast, że opodal fontanny spoczywają zwłoki. To już nie był on, ale ktoś inny. Manekin z mięsa i kości, podobny tylko do Antoine'a. Przestała odczuwać energię, jaką emanował – jej źródło, którego tak bardzo potrzebowała, wygasło. Została tylko marna zimna kopia.

Łkała, zwinięta w kłębek, niezdolna wypowiedzieć słowa, czując pod palcami jego lodowate dłonie, którym tak wiele zawdzięczała. Lekarz i pielęgniarki musieli oderwać ją siłą.

– Rozumiemy panią. Proszę nam wierzyć, naprawdę panią rozumiemy...

Nie, nic nie rozumieli. W jaki sposób ona, która nie poczułaby się żoną ani matką, gdyby nie było przy niej Antoine'a, ma zostać wdową? Wdową bez niego? Jak uda się jej odpowiednio zachowywać, kiedy zniknął?

Podczas pogrzebu nie przestrzegała żadnych przyjętych zasad, zaskakując tłum swoją rozpaczą. Nad grobem, nim złożono ciało do ziemi, położyła się na trumnie, wczepiając się w nią kurczowo, jakby chciała ją zatrzymać.

Dopiero cierpliwe namowy jej rodziców oraz dzieci (miały teraz szesnaście i piętnaście lat) sprawiły, że rozluźniła uchwyt.

Drewniana skrzynia zniknęła w dole.

Hélène zasklepiła się w ciszy.

Jej otoczenie nazywało to depresją, ale w rzeczywistości sprawa była o wiele poważniejsza.

Zamieszkiwały ją teraz dwie pustelniczki, a żadna z nich nie miała już prawa się odzywać.

Milczenie zaś sprawiało, że pragnęła przestać w ogóle myśleć. Nie umiała już myśleć jak Hélène sprzed okresu Antoine'a, nie umiała myśleć jak Hélène z okresu Antoine'a – czas tamtych obu minął bezpowrotnie, a ona nie miała siły, by powołać do życia trzecią.

Odzywała się z rzadka, ograniczając się do rytualnych dzień dobry-dziękuję-dobranoc, dbała o czystość, nosiła wciąż te same rzeczy i oczekiwała nocy jak zbawienia, choć i wówczas, ponieważ sen nie nadchodził, siedziała tylko godzinami przed włączonym telewizorem, coś tam szydełkując, i pochłonięta liczeniem oczek, nie zwracała najmniejszej uwagi na obraz i dźwięk. Ponieważ Antoine dobrze ją zabezpieczył (lokaty pieniężne, dywidendy i nieruchomości), raz w miesiącu spotykała się z księgowym zajmującym się rodzinnym majątkiem, udając, że go słucha. Dzieci, kiedy w końcu straciły nadzieję, że potrafią ją wyleczyć albo przynajmniej jakoś jej pomóc, poszły śladami ojca i poświęciły się z wielkim powodzeniem studiom.

Minęło kilka lat.

Na oko Hélène starzała się nieźle. Dbała o swoje ciało – wagę, skórę, mięśnie, sprawność – tak jak odkurza się kolekcję porcelanowych figurynek w gablocie. Kiedy zdarzało się jej spojrzeć w lustro, widziała muzealny obiekt: pełną godności, smutną i dobrze zakonserwowaną matkę, po którą sięga się od czasu do czasu z okazji uroczystości rodzinnej, ślubu czy chrztu - ceremonii pełnych hałasu i gadaniny (czyli inkwizytorskich przesłuchań), wiele ją kosztujących. Nadal pilnie dbała o swą ciszę - nie zastanawiała się nad niczym, nigdy o niczym nie mówiła.

Jednakże któregoś dnia, wbrew woli, pojawiła się w jej głowie pewna myśl:

- A gdybym zaczęła podróżować? Antoine uwielbiał podróże. Albo raczej, było to - pomijając pracę - jedyne jego pragnienie. A że nie miał czasu, by spełnić swe marzenia, mogłabym to za niego zrobić...

Nie dostrzegała, co się za tym naprawdę kryje: ani przez sekundę nie dopuszczała do siebie myśli, że mogłaby powrócić do życia, przeżyć miłosną przygodę. Jeśliby, pakując bagaże, doszła do wniosku, że wyrusza, by spróbować odnaleźć życzliwe spojrzenie Antoine'a na świat, natychmiast zrezygnowałaby z wyjazdu.

Pożegnała się krótko z Maxime'em i Bérénice i rozpoczęła wędrówkę. Podróżowanie polegało dla niej na przenosinach z jednego luksusowego hotelu do drugiego - i tak wokół globu. Spędziła w ten sposób sporo czasu w zbytkownych apartamentach w Indiach, Rosji, Ameryce i na Bliskim

Wschodzie. Wszędzie przysypiała, szydełkując przed rozświetlonym ekranem, który przemawiał do niej w nieznanym języku. Wszędzie też zapisywała się na kilka wycieczek po okolicy, bo Antoine miałby jej za złe, gdyby tego nie zrobiła, ale nie dostrzegała, co rozpościera się przed jej oczami. Po prostu sprawdzała w trzech wymiarach, czy widokówki wystawione w hotelowym hallu dobrze oddają rzeczywistość, i nic więcej... W siedmiu walizkach, obciągniętych błękitnym safianem, woziła z sobą życiowe kalectwo. Odczuwała skryte podniecenie jedynie w chwilach, gdy wyruszała z jednego miejsca w drugie, oczekiwała na przesiadkę na lotniskach lub gdy pojawiały się problemy z połączeniami - miała wówczas wrażenie, że coś się wydarzy... Ale na miejscu czekał na nią świat taksówek, portierów, bagażowych, windziarzy, pokojówek i wszystko wracało do normy.

Choć nadal nie miała wewnętrznego życia, wzbogaciło się jej życie zewnętrzne - wyjazdy, przyjazdy w nowe miejsce, konieczność rozmawiania, rozróżniania nowych monet, wybór dań w restauracjach... Wokół wiele się działo, ale w głębi jej ducha nieodmiennie królowała apatia - zgryzota zabiła obie tamte samotniczki. Wewnątrz niej nikt już nad niczym się nie zastanawiał: ani tamta malkontentka, ani żona Antoine'a. Taki stan, właściwie bliski śmierci, był dla niej wygodniejszy od tego, co było przedtem.

I tak dotarła na Przylądek Dobrej Nadziei.

Dlaczego nie potrafiła zdusić w sobie podniecenia? Z powodu tej nazwy? Dlatego że znalazła się na skraju ziemi?... Dlatego że kiedy studiowała prawo, interesowała się dramatycznymi konfliktami w Republice Południowej Afryki i podpisała nawet jakąś petycję w sprawie równouprawnienia? Ponieważ Antoine rzucił pewnego dnia myśl, by kupić tutaj posiadłość, w której osiądą na stare lata? Nie potrafiła sobie tego wytłumaczyć... W każdym razie, kiedy zbiegła na hotelowy taras, pod którym rozpościerał się ocean, zauważyła, że serce zaczęło jej żywiej bić.

– Krwawą Mary poproszę.

I znów ogarnęło ją zdziwienie: nigdy nie zamawiała tego koktajlu. O ile zresztą pamiętała, wcale jej nie smakował...

Wpatrzyła się w ołowiane niebo i stwierdziła, że obrzękłe czarne chmury niedługo już pękną. Zbliżała się burza.

Nieopodal jakiś mężczyzna również obserwował teatr żywiołów.

Hélène zaczęły palić policzki. Co się dzieje? Krew uderzyła jej do głowy, poczuła nagłe pulsowanie w tętnicach szyjnych, przyspieszył puls... Czy zbliża się atak serca?

Czemu nie? Trzeba w końcu jakoś umrzeć. Cóż, wybiła godzina. Tym lepiej, że nastąpi to właśnie tu, w tym majestatycznym pejzażu. To tu powinien nastąpić koniec. To dlatego, wchodząc po schodach, miała przeczucie, że coś ważnego się wydarzy.

W ciągu kilku sekund Hélène opuściła ręce, rozwarła dłonie i uspokoiła oddech, przygotowując się do upadku. Zamknęła powieki i odrzuciła głowę w tył; uznała, że jest gotowa - zgadzała się przyjąć śmierć.

Nic się jednak nie wydarzyło.

Nie tylko nie straciła przytomności, ale kiedy otwarła oczy, zmuszona była stwierdzić, że czuje się lepiej. Co jest? Nie da się rozkazać ciału, żeby umarło?! Nie można wyzionąć ducha tak po prostu, równie łatwo, jak gasi się lampę?

Odwróciła się w stronę mężczyzny na tarasie.

Nosił szorty; jego odsłonięte nogi były zarazem muskularne i wysmukłe. Hélène wbiła wzrok w jego stopy. Od jak dawna nie widziała męskich stóp? Nie pamiętała już, że niegdyś je lubiła - duże, pełne sprzeczności: twarde pięty i delikatne palce, gładkie na wierzchu i szorstkie pod spodem, tak solidne, że mogą udźwignąć wielkie ciało, i tak wrażliwe, że boją się pieszczot. Przesuwając wzrok od łydek po uda, czuła napięcie i siłę ukryte pod skórą; ze zdziwieniem odkryła, że chciałaby pieścić dłonią lekki, delikatny puszek jasnych włosków.

Choć przebyła kawał świata i widziała niezliczone stroje, uznała, że jej sąsiad ubrany jest wyzywająco. Jak mógł w ten sposób demonstrować nogi? Te jego szorty są nieprzyzwoite!

Po chwili jednak doszła do wniosku, że nie ma racji. Szorty były całkiem zwykłe - widziała już setki mężczyzn w takich samych. Zatem to o niego chodzi...

Czując, że ktoś go obserwuje, mężczyzna odwrócił się w jej stronę. Uśmiechnął się. Jego złocisto ogorzałą twarz pokrywały lekkie zmarszczki. Było coś niepokojącego w zieleni jego oczu.

Zmieszana, odpowiedziała uśmiechem, a potem zapatrzyła się w spektakl oceanu. Co on sobie pomyśli? Że go uwodzę. To straszne! Podobała się jej wyrazistość jego rysów. Miał szczerą, uczciwą twarz, zdradzającą skłonność do melancholii. Ile może mieć lat? Mniej więcej tyle co ja - czterdzieści osiem... Może trochę mniej, bo ogorzały, wysportowany, troszkę pomarszczony na pewno nie należał do ludzi, którzy bez umiaru smarują się przeciwsłonecznym kremem.

Nagle zaległa martwa cisza, zamilkło nawet brzęczenie owadów, a potem, po kilku sekundach, zaczęły spadać ciężkie krople deszczu. Przetoczył się grzmot, ogłaszając początek burzy. Światło zaostrzyło kontrasty i wymieszało kolory; pochłonęła ich potężna fala wilgoci, która nadeszła ze wzburzonym morzem.

– Ach, co za paskudna pogoda! – wykrzyknął mężczyzna.

Hélène nie mogła wyjść ze zdumienia, słysząc własne słowa:

– Ależ nie, myli się pan. Nie trzeba mówić: „co za paskudna pogoda", tylko: „jaki piękny deszczowy dzień".

Mężczyzna spojrzał na nią badawczo.

Wydawało się, że powiedziała to szczerze.

W tej samej chwili nabrał ostatecznej pewności co do dwóch spraw: bardzo pragnął tej kobiety i gdyby tylko mógł, zostałby z nią na zawsze.

Obca

Tym razem widziała na pewno! Kobieta przeszła w głębi salonu, wbiła w nią zdumiony wzrok, a potem zniknęła w cieniu kuchni.

Odile Versini zawahała się: powinna za nią podążyć czy jak najszybciej opuścić mieszkanie?

Kim był ów nieproszony gość? To już trzeci raz, co najmniej... Poprzednio wszystko działo się tak szybko, że Odile myślała, iż ponosi ją wyobraźnia, ale teraz miały czas, by wymienić spojrzenia; wydawało się jej nawet, że na twarzy tamtej, nim zniknęła, po krótkiej chwili zdziwienia pojawił się strach.

Odile, bez zastanowienia, ruszyła jej śladem, wykrzykując:

– Stój! Widziałam panią! Nie warto się chować, tam nie ma wyjścia!

Przebiegła wszystkie pomieszczenia – pokój, kuchnię, toaletę, łazienkę – nikogo.

Została już tylko szafa na ubrania w głębi korytarza.

– Wyjdź! Jeśli nie, wezwę policję!

Ze środka nie dochodził żaden głos.

– Co pani u mnie robi? Jak pani się tu dostała?

Niewzruszona cisza.

– Bardzo dobrze, uprzedzałam.

Odile poczuła nagle paniczny strach: czego chciała nieznajoma? Rozdygotana, cofnęła się do wyjścia, chwyciła słuchawkę telefonu i wystukała, myląc się, numer policji. „Szybciej, szybciej – modliła się – ona zaraz wyskoczy z szafy i się na mnie rzuci". Wreszcie, przebrnąwszy przez bariery komunikatów, usłyszała dźwięczny głos funkcjonariusza:

– Policja paryska, Szesnasta Dzielnica, słucham.

– Proszę natychmiast przyjechać. Włamała się do mnie kobieta. Schowała się w szafie w korytarzu i nie chce wyjść. Prędko! Błagam, to chyba jakaś wariatka albo morderczyni. Proszę się pospieszyć! Bardzo się boję!

Policjant zanotował jej nazwisko oraz adres i zapewnił, że za pięć minut zjawi się patrol.

– Halo, halo! Jest tam pani jeszcze?

– Mhmm...

– Jak się pani czuje?

– ...

– Proszę się nie rozłączać. W ten sposób będzie mi pani mogła dać znać, gdyby się coś działo.

Proszę bardzo głośno powtórzyć to, co pani powiedziałem, żeby ta osoba usłyszała i wiedziała, że nie pozostaje pani bez pomocy. Teraz, zaraz!

– Tak, ma pan rację, panie oficerze, zostanę przy telefonie i od razu będzie pan wiedział, co robi ta osoba.

Krzyczała tak głośno, że przestała siebie słyszeć. Czy wystarczająco wyraźnie? Trzeba było założyć, że intruzka, pomimo odległości, drzwi szafy i ubrań, dosłyszała jej słowa i straciła odwagę.

W mrocznych zakamarkach mieszkania panowała martwa cisza. Ów spokój był bardziej przerażający niż jakikolwiek dźwięk.

Odile wymamrotała do policjanta:

– Jest pan tam?

– Tak, cały czas jestem z panią.

– Ja... ja... ja wpadam trochę w panikę...

– Ma pani coś, by się obronić?

– Nie, nic.

– Nic, czym by mogła pani wymachiwać, wystraszyć tę osobę, gdyby wpadła na fatalny pomysł i panią zaatakowała?

– Nie.

– Laska? Młotek? Statuetka? Proszę się wokół rozejrzeć.

– A tak, mam przecież ten mały brąz...

– Proszę go wziąć do ręki i udawać, że to jest broń.

– Przepraszam?

– A teraz proszę powiedzieć, że ma pani pistolet męża, więc się pani niczego nie boi. Tylko głośno!

Odile odetchnęła głęboko i wrzasnęła niezbyt pewnym tonem:

– Nie, panie komisarzu, nie boję się, bo trzymam w ręce pistolet mojego męża!

Westchnęła i o mało nie posiusiała się ze strachu – wyszło tak źle, że obca nigdy by jej nie uwierzyła.

W telefonie odezwał się głos:

– I jak zareagowała?

– Nic.

– Bardzo dobrze. Jest wystraszona. Nie ruszy się, zanim nie przybędą nasi ludzie.

Parę sekund później odezwał się dzwonek domofonu. Odile nacisnęła guzik, po czym stanęła w otwartych drzwiach, czekając, aż winda wywiezie policjantów na dziesiąte piętro. Jej oczom ukazało się trzech mężczyzn.

– Tam! Ukryła się w szafie.

Odile zadrżała, kiedy wyciągnęli broń i przeszli przez korytarz. Nie chciała asystować przy spektaklu, który zszargałby jej nerwy, wolała schować się w salonie, gdzie dochodziły do niej niewyraźnie groźby i rozkazy policjantów.

Zapaliła odruchowo papierosa i podeszła do okna. Na zewnątrz, choć był dopiero początek lipca, z drzew opadały liście, a trawniki przybrały żółtą barwę. Upały zaatakowały plac Trocadero. Uderzyły w całą Francję. Codziennie zbierały żniwo śmierci; codziennie telewizja donosiła o nowych ofiarach - bezdomni umierali na palącym asfalcie, staruszkowie w hospicjach padali jak muchy, a niemowlęta ginęły z odwodnienia. A przecież nie brano pod uwagę zwierząt, kwiatów, jarzyn, drzew... Choćby tam, na trawniku na dole, to przecież martwy kos. Sztywny, jakby go narysowano tuszem, ma podkurczone łapki. Szkoda, kosy tak pięknie gwiżdżą...

Na wszelki wypadek nalała sobie prędko wielką szklankę wody i wypiła duszkiem. Jasne, to wielki egoizm zajmować się sobą, kiedy tylu ludzi umiera - pomyślała - ale co ja mogę zrobić?

- Proszę pani! Przepraszam! Proszę pani!

Minęła chwila, nim policjantom udało się oderwać ją od rozważań na temat klęski upałów. Odwróciła się do nich i zapytała:

- A więc kto to jest?

- Nikogo tam nie ma, proszę pani.

- Jak to, nikogo nie ma?

- Proszę, niech pani sama zobaczy.

Ruszyła za trzema mężczyznami w kierunku szafy. Wewnątrz było mnóstwo ubrań i pudełek z butami, ale ani śladu obcej.

- Gdzie ona jest?

– Chce pani, żebyśmy z panią poszukali?

– Oczywiście.

Sto dwadzieścia metrów kwadratowych mieszkania zostało metodycznie przeczesanych przez policjantów: nikt się tu nie ukrywał.

– Musicie panowie przyznać, że to bardzo dziwne – powiedziała Odile, zapalając kolejnego papierosa. – Przeszła przez korytarz, zobaczyła mnie, a kiedy ją zaskoczyłam, uciekła w głąb mieszkania. Przecież nie mogła się wymknąć?

– Może przez wejście dla służby?

– Zawsze jest zamknięte na klucz.

– Sprawdźmy.

Przeszli do kuchni i stwierdzili, że drzwi prowadzące na tylne schody są zaryglowane.

– Sami panowie widzą, nie mogła tędy wyjść.

– Chyba że ma swoje klucze... Bo jak by inaczej weszła?

Odile zachwiała się na nogach. Policjanci podtrzymali ją pod ramiona i pomogli usiąść. Zdała sobie sprawę, że mieli rację: kobieta, która wtargnęła do mieszkania, musiała mieć klucze, żeby tu wejść, a potem uciec.

– To potworne...

– Może nam ją pani opisać?

– Stara.

– Przepraszam?

– Tak, starsza kobieta. Siwa.

– Jak była ubrana?

– Nie pamiętam. Jakoś tak zwyczajnie.

– Była w sukience czy w spodniach?

– Wydaje mi się, że w sukience.

– To zupełnie nie pasuje do złodziejek czy innych włamywaczek. Jest pani pewna, że nie był to ktoś z pani otoczenia, kogo pani nie rozpoznała?

Odile zmierzyła policjantów wzrokiem, w którym rysował się cień pogardy:

– Bardzo dobrze rozumiem pytanie panów. Jest logiczne, biorąc pod uwagę wasz zawód, ale zechciejcie przyjąć do wiadomości, że w wieku trzydziestu pięciu lat nie jestem jeszcze zidiociałą staruszką. Mam z pewnością więcej dyplomów niż panowie, jestem niezależną dziennikarką, zajmuję się geopolityką krajów Środkowego Wschodu, znam sześć języków i mimo upałów czuję się całkiem nieźle. Zróbcie mi więc tę przyjemność i uwierzcie, że nie mam w zwyczaju zapominać, komu zostawiłam klucze.

Zaskoczeni, bojąc się jej wybuchu, pochylili z szacunkiem głowy.

– Proszę nam wybaczyć, musimy brać pod uwagę wszystkie możliwości. Mamy czasem do czynienia z osobami niezrównoważonymi, które...

– Zgoda, kiedy ją zobaczyłam, straciłam zimną krew...

– Mieszka pani sama?

– Nie, z mężem,

– A gdzie jest pani mąż?

Spojrzała na policjanta z miłym zaskoczeniem; zdała sobie sprawę, że od dawna nikt nie zadał jej tego prostego pytania: „Gdzie jest pani mąż?".

– Podróżuje po Środkowym Wschodzie. Jest słynnym reporterem – odparła z uśmiechem.

Policjanci wyrazili szacunek dla profesji Charlesa spojrzeniem i odpowiednią chwilą ciszy. Niemniej najstarszy z nich kontynuował dochodzenie:

– No właśnie, czy pani mąż nie mógł dać swoich kluczy komuś, kto...

– Co pan sobie wyobraża? Przecież by mi o tym powiedział!

– No, nie wiem...

– Tak, uprzedziłby mnie.

– Czy mogłaby pani do niego zatelefonować, żeby się upewnić?

Odile pokręciła przecząco głową.

– Nie znosi, kiedy go się niepokoi na końcu świata. Szczególnie z powodu jakiejś historii z kluczami. To śmieszne.

– Czy coś takiego zdarzyło się po raz pierwszy?

– Ta stara? Nie. Przedtem widziałam ją co najmniej dwa razy.

– Proszę nam wyjaśnić.

– Wtedy wytłumaczyłam sobie, że mi się tylko wydawało, że to niemożliwe. Dokładnie tak, jak panowie myślą w tej chwili. Ale tym razem jestem pewna, że to nie było złudzenie... Tak bardzo mnie wystraszyła. I zwróćcie uwagę, że ona też się mnie bała!

– Cóż, pani Versini, mogę pani tylko poradzić, żeby natychmiast zmienić zamki. Wtedy będzie pani mogła spać spokojnie. Kiedyś, może jak wróci pani mąż, cała ta sprawa się wyjaśni. A na razie będzie pani miała spokój.

Odile zgodziła się z nim, podziękowała policjantom i odprowadziła ich do wyjścia.

Mechanicznie otwarła nową paczkę papierosów, włączyła ulubiony kanał telewizji – ten, który na okrągło podaje informacje – a potem zaczęła rozmyślać, analizując problem ze wszystkich stron.

Po godzinie, stwierdziwszy, że to do niczego nie prowadzi, podniosła słuchawkę i umówiła się ze ślusarzem na następny dzień.

– Dwa tysiące dwieście ofiar – powiedział prezenter, wbijając wzrok w telewidzów. Lato okazało się zabójcze.

Z kluczami w kieszeni spódnicy, pewna, że nic jej nie grozi od czasu, gdy ma nowe zamki, Odile, zafascynowana, przyglądała się wynaturzonym wyczynom klimatu. Wyschnięte rzeki, ryby w agonii, zdychające stada, rozsierdzeni rolnicy, ograniczenia wody i elektryczności, przepełnione szpitale, studenci stażyści awansowani na lekarzy, długie kolejki w zakładach pogrzebowych, grabarze ściągnięci z wakacji nad morzem, ekolodzy złorzeczący efektowi cieplarnianemu – śledziła każde kolejne wiadomości niczym odcinek wyciskającego łzy serialu. Czekała na zwroty akcji łakoma następnych katastrof, niemalże rozczarowana, gdy sytuacja przestawała się pogarszać. Prawie nieświadomie, z poczuciem satysfakcji, prowadziła statystykę ofiar. Upały to był spektakl, który jej nie dotyczył, ale wypełniał jej lato, ratując od nudy.

Na biurku czekało na lepsze czasy kilka niedokończonych artykułów i rozpoczęta książka. Nie czuła się na siłach, by się nimi zajmować – kiedy będzie trzeba, wydawcy i naczelni zaczną bombardować ją ponaglającymi telefonami. Swoją drogą, dziwne, że wciąż milczą... Może ich też zmógł upał? Może już nie żyją? Jak znajdzie wolną chwilę i będzie miała ochotę, sama do nich zadzwoni.

Skakała po arabskich kanałach nieco urażona, że tak mało interesują się tam sytuacją w Europie. No, ale trzeba uczciwie przyznać, że dla nich takie upały...

By nie mieć sobie nic do zarzucenia, postanowiła napić się wody. Kiedy zmierzała do kuchni, ogarnęło ją znowu dziwne uczucie – obca wróciła!

Cofnęła się i rozejrzała szybko wokół. Nic... Tymczasem zdawało się jej, że... Przez ułamek sekundy widziała twarz tej starej... To musiało być odbicie w lampie, w rogu lustra czy politurze komody. Obraz zapisał się w jej mózgu.

W ciągu następnej godziny przetrząsnęła dokładnie mieszkanie, a potem co najmniej dziesięć razy sprawdziła, czy przypadkiem nowe zamki nie dadzą się otworzyć starymi kluczami. Gdy upewniła się, że jest to niemożliwe, doszła do wniosku, iż twarz tamtej kobiety musiała być złudzeniem.

Wróciła do salonu i włączyła telewizor – wówczas, zmierzając ku kanapie, zobaczyła ją wyraźnie w korytarzu. Tak jak poprzednio, obca zamarła, a potem uciekła w panice.

Odile rzuciła się na kanapę i chwyciła za słuchawkę telefonu. Policja obiecała, że zaraz przyjedzie.

Oczekiwanie przeżywała inaczej niż za pierwszym razem. Wczoraj strach był w jakiś sposób konkretny – przypuszczała, że nieznajoma siedzi w szafie, i domyślała się jej zamiarów. Teraz zwykły strach ustąpił miejsca paraliżującemu przerażeniu. Odile stanęła twarzą w twarz z tajemnicą:

jak tamta zdołała wejść, skoro zamki są zupełnie nowe?

Policjanci - ci sami co w przeddzień - odnaleźli ją w szoku. Wiedzieli już, o co chodzi.

Nie była zaskoczona, kiedy po zrewidowaniu mieszkania przyszli do niej do salonu, by oznajmić, że nikogo nie znaleźli.

- To potworne - wyjąkała. - Dziś rano zmieniono zamki i tylko ja mam klucze, a ta kobieta znalazła jednak sposób, by się tu włamać, a potem uciec...

Usiedli obok niej, by spisać służbową notatkę.

- Proszę wybaczyć, ale czy jest pani absolutnie pewna, że ona tu rzeczywiście była?

- Wiedziałam, że o to zapytacie. Nie wierzycie mi... Sama też bym zwątpiła, gdybym tego nie przeżyła. Nie mogę wam mieć za złe, że uważacie mnie za wariatkę... Rozumiem... znakomicie was rozumiem... Na pewno mi teraz poradzicie, żebym udała się do psychiatry... Nie, proszę nie zaprzeczać! Ja bym tak zrobiła na waszym miejscu.

- Nie, proszę pani. Trzymajmy się faktów. To była ta sama kobieta co wczoraj?

- Była inaczej ubrana.

- Czy ona pani kogoś przypomina?

Pytanie utwierdziło Odile w przekonaniu, że uważają ją za przypadek psychiatryczny. Ale jak mogła mieć im to za złe?

– Gdyby ją pani miała opisać, z kim by się pani skojarzyła?

Odile przyszło na myśl, że jeśli powie im, iż obca mgliście przypominała jej matkę, ostatecznie uznają ją za niespełna rozumu.

– Z nikim. Nie znam jej.

– A czego, pani zdaniem, ona tu szuka?

– Nie mam pojęcia. Mówiłam już, że jej nie znam.

– Czego się pani obawia z jej strony?

– Słuchajcie, drodzy panowie: nie próbujcie na mnie pokątnej psychoanalizy! Nie jesteście terapeutami, a ja nie popadłam w obłęd. Ta osoba nie jest projekcją moich lęków czy urojeń, ale intruzem, który wkrada się do mojego mieszkania, Bóg jeden wie w jakim celu.

Widząc, że dała się ponieść nerwom, policjanci wymamrotali przeprosiny i w tym właśnie momencie Odile doznała olśnienia.

– Moje pierścionki! Gdzie są moje pierścionki?

Rzuciła się ku komodzie obok telewizora, wyszarpnęła szufladę i wyciągnęła pustą miseczkę.

– Tu były moje pierścionki!

Zachowanie policjantów zmieniło się w mgnieniu oka. Nie uważali jej już za wariatkę, przypadek mieścił się znów w ramach ich opartej na racjonalizmie rutyny.

Wyliczyła i opisała pierścionki, określiła ich wartość, nie mogąc się przy tym powstrzymać, by nie sprecyzować, z jakiej okazji otrzymała je od Charles'a, a potem podpisała protokół.

- Kiedy wraca pani mąż?

- Nie wiem. Nie powiedział mi.

- Wszystko w porządku, proszę pani?

- Tak, nie martwcie się o mnie. Jakoś to będzie.

Kiedy wyszli, wszystko znów stało się banalne: tajemnicza obca skurczyła się do rozmiarów pospolitej złodziejki, operującej z niewiarygodną zręcznością - ale właśnie ta pospolitość sprawiła, że nerwy Odile nie wytrzymały i ogarnęły ją spazmy szlochu.

- Upały pochłonęły już dwa tysiące siedemset ofiar. Są podejrzenia, że rząd ukrywa prawdziwe liczby.

Również Odile była o tym przekonana. Wedle jej własnych obliczeń, ofiar musiało być więcej. Choćby tego ranka widziała ciałka dwóch wróbli w podwórzowym ścieku.

Rozległ się dzwonek do drzwi.

Ponieważ wcześniej nie odezwał się domofon, musiał to być albo sąsiad, albo jej mąż. Miał oczywiście własne klucze, ale zwykle zatrzymywał się na korytarzu i by zbytnio jej nie zaskoczyć, dzwonił, uprzedzając, że powrócił z podróży.

– O Boże! Żeby to był on!

Gdy otworzyła drzwi, zadrżała ze szczęścia.

– Och, kochanie, jak się cieszę, że cię widzę! Nie mogłeś się zjawić w lepszej chwili!

Odile przytuliła się i chciała go pocałować w usta, ale on, nie odpychając jej, tylko ją uścisnął. „Ma rację – pomyślała – jestem stuknięta, że się tak podniecam".

– Jak się masz? Jak tam wyprawa? A w ogóle, to gdzie byłeś?

Odpowiedział, ale nie za bardzo rozumiała, co mówi; z trudem też udawało się jej formułować pytania. Dwa czy trzy razy spojrzał na nią posępne, wzdychając przy tym głęboko, odczuła więc, że go trochę irytuje. Ale w jej oczach jawił się tak piękny, że nie potrafiła się skupić – efekt nieobecności? W każdym razie, im dłużej mu się przyglądała, tym bardziej ją pociągał. Trzydziestka, brunet, ani jednego siwego włosa, zdrowa ogorzała skóra, wysmukłe zgrabne dłonie, mocne plecy i wąska talia... Ależ miała szczęście!

Postanowiła pozbyć się złej nowiny jak najszybciej.

– Mieliśmy włamanie.

– Co?!

– Tak. Skradziono moje pierścionki.

Opowiedziała, co się wydarzyło. Słuchał cierpliwie, nie stawiając pytań ani nie podając niczego w wątpliwość. Odile z satysfakcją odnotowała, że reaguje zupełnie inaczej niż policjanci. „Przynajmniej on mi wierzy" - pomyślała.

Kiedy skończyła, wstał i skierował się do sypialni.

- Chcesz wziąć prysznic? - zapytała.

Niemal natychmiast wrócił z pokoju, niosąc pudełko, w którym były pierścionki.

- Są tutaj.

- Co?!

- Tak. Zajrzałem w trzy czy cztery miejsca, gdzie zwykle je chowasz. Nie sprawdzałaś?

- Wydawało mi się... Właściwie byłam pewna... Ostatnio to była komoda w salonie... Ta przy telewizorze... Jak mogłam nie pamiętać?

- Już wszystko dobrze, nie przejmuj się. Każdemu zdarza się zapomnieć.

Podszedł do niej i pogłaskał ją w policzek. Odile zastygła zdziwiona - zdziwiona, że mogła być tak głupia, i zaskoczona, że jej głupota wzbudziła w Charles'u czułość.

Pobiegła do kuchni, żeby mu zrobić coś do picia. Kiedy wracała z tacą, zauważyła, że przy drzwiach nie ma jego bagaży.

- Gdzie twoje rzeczy?

- A dlaczego miałbym przyjść z rzeczami?

- Przecież wracasz z podróży.

- Ale już tutaj nie mieszkam.

- Co proszę?

- Od dawna już tu nie mieszkam, nie zauważyłaś?

Odile odstawiła tacę i oparła się o ścianę, by zaczerpnąć tchu. Dlaczego zwracał się do niej tak surowo? Tak, oczywiście, mniej lub bardziej zdawała sobie sprawę, że nie widują się zbyt często, ale by stwierdzić, iż nie żyją już razem... Co to wszystko...

Osunęła się na podłogę i zaczęła szlochać. Podszedł, wziął ją w ramiona i znów zaczął mówić czule:

- Już dobrze, nie płacz... Płacz nic nie pomoże. Nie lubię cię oglądać w takim stanie.

- Co ja zrobiłam? Co ja złego zrobiłam? Dlaczego już mnie nie kochasz?

- Przestań opowiadać głupstwa. Nic złego nie zrobiłaś. Bardzo cię kocham.

- Naprawdę?

- Naprawdę.

- Tak jak kiedyś?

Nie odpowiedział od razu, bo oczy zaszły mu łzami, kiedy głaskał jej włosy.

- Może nawet bardziej niż kiedyś...

Pokrzepiona Odile przytuliła się na dłuższą chwilę do jego szerokiej piersi.

- Pójdę już - powiedział Charles, wypuszczając ją z objęć.

– Kiedy wrócisz?

– Jutro. Może za dwa dni. Nie martw się, proszę...

– Ja się nie martwię.

Charles wyszedł, a Odile została ze ściśniętym sercem: dokąd się udał? I dlaczego miał taką smutną twarz?

Wróciwszy do salonu, wzięła miseczkę z pierścionkami i wstawiła ją do komody w sypialni. Tym razem nie zapomni!

– Cztery tysiące ofiar upałów.

Lato okazało się zdecydowanie pasjonujące. Siedząc w mieszkaniu ze stale włączoną klimatyzacją (kiedy właściwie Charles ją zamontował?), Odile śledziła dziennikarską powieść w odcinkach, paląc papierosa za papierosem. Już dawno umówiła się z konsjerżką, że tamta będzie ją zaopatrywać. Od czasu do czasu, w zamian za kilka banknotów, przygotowywała jej też posiłki – Odile nigdy nie nauczyła się dobrze gotować. Czy Charles dlatego się wyprowadził? Śmieszne...

Pierwszy raz zdarzyło się, by po powrocie do Paryża ukarał ją w ten sposób i zamieszkał gdzie indziej. Mozolnie usiłowała znaleźć w niedawnej przeszłości coś, co mogłoby usprawiedliwić takie zachowanie, ale nic nie przychodziło jej do głowy.

Ale nie było to jej jedyne zajęcie – starsza pani znów się pojawiła.

I to wielokrotnie.

Zawsze było tak samo: zjawiała się znikąd i natychmiast znikała.

Z powodu historii z pierścionkami Odile nie ośmielała się dzwonić na policję – musiałaby wyznać, że się odnalazły. Mogłaby oczywiście skontaktować się z nimi, bo przecież, choć się pomyliła, nikogo nie próbowała oszukać – po wizycie Charles'a wyrzuciła do kosza zgłoszenie kradzieży przeznaczone dla towarzystwa ubezpieczeniowego.

Czuła jednak, że policjanci już by jej nie uwierzyli.

Tym bardziej że odkryła w końcu powód, dla którego tamta powracała – i tego też policja nie potraktowałaby serio! Obca nie była niebezpieczna – nie była ani złodziejką, ani też zbrodniarką – ale pojawiała się wystarczająco często, aby jej manewry stały się w końcu jasne: przychodziła po to, by przestawiać rzeczy!

Tak. Choć brzmi to bardzo dziwnie, był to jedyny powód jej niespodziewanych wizyt.

Pierścionki (Odile w pierwszej chwili myślała, że znów zostały skradzione) nie tylko znajdowały się parę godzin później w innym pomieszczeniu, ale obca chowała je w coraz osobliwszych miejscach – ostatnio w lodówce, w pojemniku na lód.

„Brylanty pośród lodu? Skąd jej przychodzą do głowy takie pomysły?"

Odile uznała wreszcie, że choć starsza pani nie była kryminalistką, była jednakże bardzo złośliwa.

„Albo obłąkana! Kompletnie szalona! Jak można narażać się na takie ryzyko dla absurdalnych żartów?! Kiedyś w końcu ją złapię i wreszcie się dowiem".

Odezwał się dzwonek.

– Charles!

Otwarła drzwi, przed którymi stał jej mąż.

– Och, co za szczęście! Nareszcie!

– Tak, wybacz, nie mogłem przyjść tak prędko, jak ci obiecałem.

– Nic nie szkodzi, nie mam do ciebie pretensji.

Kiedy wchodził do mieszkania, odsłonił młodą kobietę, kryjącą się za nim.

– Poznajesz Yasmine?

Odile nie ośmieliła się zaprzeczyć i powiedzieć, że nie przypomina sobie ładnej smukłej brunetki. „Ach, to kalectwo, kiedy się w ogóle nie pamięta twarzy... – pomyślała. – Tylko bez paniki. Przypomnę sobie".

– Oczywiście. Wejdźcie.

Yasmine podeszła, objęła ją i pocałowała w policzek, a wtedy Odile, choć nadal jej nie rozpoznała, wyczuła, że tamta jej nie znosi.

Przeszli do salonu i zaczęli wymieniać jakieś uwagi o upałach. Odile mężnie starała się brać udział w rozmowie, ale jej duch nie potrafił się powstrzymać, by nie krążyć gdzieś daleko. „To absurd, gawędzimy światowo o pogodzie w obecności jakiejś nieznajomej, podczas gdy Charles i ja mamy sobie tyle do powiedzenia". Nagle przerwała w pół zdania i wbiła wzrok w męża.

– Powiedz mi, brakuje ci dzieci?

– Co?

– Tak. Myślałam przez te dni, co między nami zgrzyta, i przyszło mi do głowy, że na pewno chciałbyś mieć dzieci. Zazwyczaj mężczyznom mniej na tym zależy niż kobietom... Chcesz mieć dzieci?

– Przecież mam.

Odile wydawało się, że się przesłyszała.

– Co?

– Mam dzieci. Dwóch synków, Jérôme i Hugo.

– Przepraszam?

– Jérôme i Hugo.

– W jakim wieku?

– Dwa i cztery lata.

– Z kim je masz?!

– Z Yasmine.

Odile odwróciła się do Yasmine, która obdarzyła ją uśmiechem. „Odile, obudź się! To tylko senny koszmar, to się nie dzieje naprawdę!"

- Wy... wy... wy macie razem dzieci?

- Tak - potwierdziła tamta intrygantka, krzyżując elegancko łydki, jak gdyby nigdy nic.

- I tak bezwstydnie przychodzicie do mnie, żeby mi to z uśmiechem powiedzieć? Jesteście potworami!

Potem nastąpiło wielkie zamieszanie; Odile, wśród własnych krzyków i wybuchów łez, nie była w stanie zrozumieć, co się do niej mówi. Kiedy Charles próbował kilka razy ją przytulić, odpychała go gwałtownie.

- Zdrajca! Zdrajca! To koniec! Słyszysz? To koniec! Wynoś się! Wynoś się natychmiast!

Im bardziej usiłowała uwolnić się z jego ramion, tym mocniej ją trzymał.

Trzeba było wezwać lekarza, położyć Odile do łóżka i zaaplikować jej siłą środki uspokajające.

- Dwanaście tysięcy zmarłych z powodu upałów.

- Dobra robota! - uradowała się Odile przed telewizorem.

Od kilku dni sytuacja znacznie się pogorszyła - Charles dał dowód, jak wstrętny ma charakter, chcąc, by opuściła mieszkanie.

– Nigdy w życiu! Rozumiesz, co mówię?! – wykrzyknęła mu na to w słuchawkę – nigdy tu nie zamieszkasz z tą swoją zdzirą! Według prawa te mury należą do mnie. I nie przychodź. I tak ci nie otworzę. A twoje klucze i tak nie pasują.

Przynajmniej obca na coś się przydała! Starsza pani okazała się narzędziem opatrzności.

Charles kilka razy dzwonił do drzwi i próbował pertraktacji. Nie chciała go słuchać. Nie ustawał w wysiłkach – przysłał do niej lekarza.

– Odile – oświadczył doktor Malandier – jest pani wyczerpana. Nie myśli pani, że dobrze by pani zrobił pobyt w sanatorium? Tam się panią zaopiekują.

– Dziękuję, jakoś sobie daję radę. Jasne że z powodu tych wszystkich problemów jestem spóźniona z artykułami, ale ja się dobrze znam: kiedy tylko poczuję się lepiej, skończę je wszystkie naraz w ciągu kilku nocy.

– No właśnie. Nie sądzi pani, że aby się lepiej poczuć, sanatorium...

– W tej chwili, doktorze, w sanatoriach się umiera z braku klimatyzacji, którą ja tutaj mam. Nie jest pan na bieżąco? Panują potworne upały, bardziej śmiercionośne od tajfunu. Dom wypoczynkowy? Raczej dom katuszy. Zakład leczniczy? Umieralnia, zakład zabójczy! To on pana wysłał, żeby mnie uśmiercić?

– Odile, proszę, niech pani nie wygaduje bzdur. Gdyby znaleźć dla pani zakład z dobrą klimatyzacją...

– Tak, nafaszerują mnie jakimiś proszkami i zamienią mnie w warzywo, a mój mąż to wykorzysta, by zająć mieszkanie i wprowadzić się tu z tą swoją poczwarą! Nigdy! A wiedział pan chociaż, że on ma z nią dwóch synów?

– Jest pani w takim stanie, Odile, że niedługo już nie będą pani pytać o zdanie, tylko zabiorą panią siłą.

– No właśnie! Wreszcie pan zrozumiał: trzeba mnie będzie wziąć siłą! Ale do tego czasu nic się nie zmieni. A teraz proszę wyjść i więcej tu nie wracać. Od dzisiaj zmieniam lekarza.

Tego wieczora wzburzona Odile miała ochotę skończyć ze swym życiem. Powstrzymała ją jedynie myśl, że byłoby to za bardzo na rękę Charles'owi i tej upiornej Yasmine.

„Nie, Odile. Weź się w garść! Poza wszystkim, jesteś młoda... Ile właściwie masz lat?... Trzydzieści dwa, może trzydzieści trzy... Och, zawsze zapominam. Masz życie przed sobą, spotkasz innego faceta, będziesz miała prawdziwą rodzinę z dziećmi. Ten cały Charles nie zasługuje na ciebie i lepiej, że to się prędko wydało. Pomyśl, że mogłaś tak dotrwać aż do menopauzy..."

Poczuła nagłą potrzebę, by pogadać o tym ze swą najlepszą przyjaciółką Fanny. Od jak dawna do niej nie dzwoniła? Przez te upały trochę straciła poczucie czasu. Widocznie, jak wszyscy mieszkańcy Francji, cierpi na otępienie, bardziej niż myślała, ukryta w chłodnym mieszkaniu. Chwyciła notatnik z numerami, ale natychmiast odrzuciła go daleko od siebie.

– Nie muszę sprawdzać. Jeśli już pamiętam jakiś telefon, to jej.

Wystukała numer na klawiaturze. W słuchawce rozległ się głos wyrwany ze snu.

– Tak?

– Przepraszam, że przeszkadzam. Chciałabym mówić z Fanny.

– Fanny?

– Fanny Desprées. Czyżbym pomyliła numer?

– Fanny nie żyje, proszę pani.

– Fanny?! Kiedy?...

– Dziesięć dni temu. Odwodnienie...

Upały! Kiedy Odile zabawiała się przed telewizorem w idiotyczne liczenie poległych, na myśl jej nie przyszło, że przyjaciółka może paść ofiarą hekatomby. Rozłączyła się niezdolna wykrztusić słowa, by zapytać o szczegóły.

Fanny, jej słodka Fanny, kumpelka z liceum. Fanny, która już miała dwoje dzieci... Dwoje malutkich dzieci... Co za tragedia! I taka młoda! Jej rówieśniczka... A więc nie tylko staruszkowie i niemowlaki umierają, ale i ludzie w sile wieku... Kto właściwie odebrał telefon? Nie rozpoznała ochrypłego głosu... Pewnie jakiś wiekowy krewny.

Pod wpływem szoku wypiła całą butelkę wody, a potem udała się do sypialni, by wybuchnąć płaczem.

– Piętnaście tysięcy ofiar – oznajmił prezenter z grobową miną.

– Wkrótce piętnaście tysięcy i jedna – westchnęła Odile, zaciągając się głęboko papierosem. – Nie przypuszczam, żebym miała ochotę żyć w tak ohydnym świecie.

Prezenter dorzucił, że nie ma nadziei na ochłodzenie, a na horyzoncie nie majaczy żadna burza. Ziemia konała w mękach.

Odile też nie widziała dla siebie wyjścia. Obca pojawiała się teraz kilka razy dziennie i złośliwie przestawiała jej rzeczy tak, że Odile nic już nie mogła znaleźć.

Po wyjeździe konsjerżki do Portugalii (to niewiarygodne, ile konsjerżek musi spędzać sierpień w Portugalii!) zakupy i gotowe potrawy przynosiła na górę jej siostrzenica – impertynencka smarkula o nonszalanckim kroku, która od rana do wieczora żuła gumę i zmieniała paski. Jednym słowem, idiotka, z którą nie sposób było wymienić trzech składnych zdań.

Charles już się więcej nie pokazał, ale to na pewno on telefonował – Odile rzucała w słuchawkę krótkie: Nie!, a potem natychmiast się rozłączała. Obchodził ją zresztą coraz mniej. Właściwie niewiele. To już była przebrzmiała historia. Albo raczej wydawało się, że nigdy nie istniał. Aktualnym zmartwieniem Odile było zapisanie się na kolejny rok na uniwersytet. To pewnie z powodu zastępczego personelu na czas wakacji nie udawało się jej połączyć z odpowiednią osobą. Bardzo ją to denerwowało.

Czuła wielką potrzebę, by natychmiast poświęcić się studiom. Kiedy tylko nie oglądała kanału informacyjnego, pracowała całymi godzinami; czytała książki o Środkowym Wschodzie, doskonaliła języki obce i naprawdę zamierzała skończyć wreszcie pracę dyplomową, do której naszkicowała już wstęp.

Jej promotor okazał się nieosiągalny. Wydawało się, że katastrofa klimatyczna unicestwiła cały kraj. Nic już nie działało normalnie. Jej rodzice również nie odbierali telefonu. Każdy uciekał, gdzie mógł, by znaleźć odrobinę chłodu.

– Korzystajmy więc z sytuacji, by poświęcić się naszym zasadniczym zadaniom – mówiła sobie Odile, godzinami oddając się doskonaleniu konstrukcji kolejnych akapitów i wygładzając zdania. – Daję sobie tydzień na skończenie wstępu.

Wciągnęło ją to tak bardzo, że zapominała pić odpowiednie ilości płynów. Do tego popsuła się klimatyzacja: kiedy nastawiała regulator na dwadzieścia stopni, po kilku godzinach męczarni odkrywała, że wskazuje on trzydzieści, trzydzieści dwa albo i piętnaście! Po mozolnych poszukiwaniach odnalazła instrukcję obsługi oraz gwarancję i wezwała specjalistę, by jej to naprawił. Zajęło mu pół dnia, nim stwierdził, że nic z tego nie rozumie - może jakieś przebicie? - ale sprawdził przy okazji całą aparaturę i całość zaczęła działać bezbłędnie. Nazajutrz jednak wskaźniki w każdym z pomieszczeń znów wskazywały rozmaite temperatury, niekiedy kompletnie zwariowane.

Odile nie widziała potrzeby, by ponownie wezwać człowieka z serwisu, odkryła bowiem prawdziwą przyczynę kłopotów: bez wątpienia to tamta uznała za zabawne przestawianie regulacji za jej plecami.

Odile czuła, że zaczyna być wykończona pracą, upałem oraz brakiem płynów, postanowiła zatem zasadzić się na obcą, złapać ją na gorącym uczynku i wyrównać z nią rachunki raz na zawsze.

Upewniwszy się, że jest sama w mieszkaniu, zaczaiła się w schowku w korytarzu i cichutko czekała.

Ile czasu spędziła w zasadzce? Nie umiała powiedzieć. Pomyśleć by można, że starsza pani odgadła, że na nią czekają... Po kilku godzinach udręczona pragnieniem Odile wyszła ze schowka i wróciła do salonu. Tam – Bóg jeden wie dlaczego – poczuła nagłą ochotę, by napić się pastisu. Otwarła barek, przygotowała drinka i po pierwszym łyku zauważyła dziwną rzecz.

Jedna z książek w bibliotece nosiła na grzbiecie nazwisko Odile Versini – jej nazwisko... Zdjęła ją z półki i zbita z tropu, odczytała tytuł na okładce; była to praca, którą właśnie pisała. Kompletny, skończony, wydrukowany na czterystu stronach doktorat z nazwą renomowanego wydawnictwa, o którym nie śmiałaby nawet marzyć. Kto mógł stać za tą mistyfikacją?

Przerzuciła pierwsze stronice i zbladła jeszcze bardziej. Odnalazła wstęp, nad którym ślęczała od wielu dni, ale dokończony – napisany lepiej i staranniej dopracowany.

Co to wszystko ma znaczyć?

Unosząc głowę, spostrzegła tamtą. Starsza pani w spokoju mierzyła ją wzrokiem.

Nie, tego już było za wiele! Odwróciła się na pięcie i pobiegła do schowka, chwyciła kij golfowy, uznając, że się nada, i natychmiast wróciła, by ostatecznie policzyć się z obcą.

Yasmine, stojąc przed oknem wychodzącym na ogrody Trocadero, wpatrywała się w deszcz, który pojednał w końcu ziemię z niebem i powstrzymał pomór upałów.

Pokój nie zmienił się; był wciąż pełen książek – prawdziwy skarb dla każdego, kto interesuje się Środkowym Wschodem. Ani jej mąż, ani ona nie mieli czasu, by zmienić wystrój i meble. Później się tym zajmą. Nie czekali za to z przeprowadzką z maleńkiego mieszkanka na peryferiach, gdzie gnietli się z dwoma synkami.

Właśnie teraz Jérôme i Hugo odkrywali przyjemności płynące z telewizji satelitarnej, przeskakując bez przerwy z kanału na kanał.

– To bomba, mamo! Tu są arabskie programy!

Nie zatrzymywali się nigdzie na dłużej – liczba kanałów tak ich zafascynowała, że nie pomyśleli, by coś naprawdę obejrzeć.

Wrócił jej mąż; zbliżył się po cichu i pocałował ją w kark. Yasmine odwróciła się i przytuliła do jego piersi. Objęli się mocno.

– Wiesz, przejrzałam album z rodzinnymi zdjęciami; to niesamowite, jak bardzo jesteś podobny do ojca!

– Nie mów tak.

– Dlaczego? Nadal cię boli, że zmarł w Egipcie, kiedy miałeś sześć lat...

– Nie, jest mi smutno, bo myślę o mamie. Ostatnio często nas myliła, mówiła do mnie Charles...

– Nie myśl już o tym. Pomyśl o mamie, kiedy była w formie: błyskotliwa intelektualistka, dowcipna, cięta w języku... Zapomnij o ostatnich dwóch latach...

– Masz rację. Sama w tym mieszkaniu, z alzheimerem... Już sama siebie nie poznawała... Odchodząca pamięć przeniosła ją w młodość: uważała za obcą tę starą kobietę w odbiciach... Leżała przed rozbitym lustrem, z kijem golfowym w ręce, a to znaczy, że musiała jej grozić... Potem pewnie próbowała się bronić, myśląc, że tamta zamierza ją zaatakować.

– Pójdziemy do niej w niedzielę, François.

Yasmine pogłaskała go po policzku i dodała, zbliżając usta:

– Teraz to mniej bolesne; jest łatwiej od chwili, gdy cofnęła się w czasy, zanim poznała twego tatę. Już nas z nikim nie myli. Uważa, że ile ma lat?

– Czasem życzę jej, by jak najprędzej znów stała się niemowlęciem, które mógłbym wziąć na ręce i przytulić. Powiedziałbym jej w końcu, jak bardzo ją kocham. Dla mnie byłby to pożegnalny pocałunek, dla niej pocałunek na powitanie...

Falsyfikat

Można powiedzieć, że były dwie Aimée Favart. Aimée przed rozstaniem i Aimée po.

Kiedy Georges oświadczył jej, iż odchodzi, minęło kilka minut, nim pojęła, że to nie senny koszmar ani głupi żart. Czy to naprawdę on mówił? Czy naprawdę do niej się zwracał? Gdy w końcu uznała, że to jednak rzeczywistość, przyłożyła jej na odlew, zadała sobie jeszcze trud, by sprawdzić, czy nadal żyje. Postawienie diagnozy zajęło sporo czasu: jej serce przestało bić, krew zastygła w żyłach, jej wnętrze wypełniła zimna marmurowa cisza, a sparaliżowane powieki przestały mrugać... Ale wciąż słyszała Georges'a („Rozumiesz, kochanie, nie mogę już dłużej. Wszystko ma swój koniec"), widziała, jak na jego koszuli pod pachami pojawiają się aureole potu i czuła jego oszałamiający zapach – mieszaninę woni samca, mydła i przesiąkniętej lawendą bielizny... Ze zdziwieniem, niemal rozczarowana, doszła do wniosku, że jednak przeżyła.

Łagodny, przymilny, pełen serdeczności Georges mnożył zdania, próbując pogodzić z sobą dwie wykluczające się wzajemnie rzeczy: zakomunikować jej, że odchodzi, i jednocześnie przekonać, że to nic takiego.

– Byliśmy razem tacy szczęśliwi. To tobie zawdzięczam najlepsze chwile w życiu. Jestem pewien, że kiedy nadejdzie śmierć, będę myślał właśnie o tobie. Ale jestem głową rodziny... Czy kochałabyś mnie, gdybym okazał się egoistą, który wykręca się od obowiązków, ma gdzieś żonę, dom, dzieci i wnuki?

Miała ochotę zawyć: „Tak, kochałabym cię! Właśnie na to czekałam od samego początku!" – ale, jak zawsze, nie powiedziała ani słowa. „Nie ranić go! Przede wszystkim go nie zranić!" – szczęście Georges'a było dla Aimée ważniejsze niż jej własne. Kochała go od dwudziestu pięciu lat, nie myśląc o sobie.

Georges kontynuował:

– Moja żona zawsze planowała, że dożyjemy naszych dni na południu Francji. Ponieważ za dwa miesiące przechodzę na emeryturę, kupiliśmy willę w Cannes. Przeprowadzamy się tego lata.

Bardziej niż sam fakt wyjazdu zaszokowały Aimée słowa: „dożyjemy naszych dni". Do tej pory obraz życia rodzinnego, jaki Georges malował kochance, przypominał żywo więzienie; gdy usłyszała, jak mówi „dożyjemy naszych dni", odkryła, że w tamtym świecie, do którego bronił jej dostępu, wciąż czuł się mężem, ojcem oraz dziadkiem.

„Nasze dni"! - miejsce Aimée było tylko gdzieś na marginesie - „Nasze dni"! Choć szeptał jej do ucha miłosne wyznania, choć jego ciało wciąż pożądało jej ciała, okazała się tylko przelotną miłostką. „Nasze życie"! Ta druga - znienawidzona rywalka, źródło jej lęków - w końcu wygrała! Ale czy wiedziała o tym? Czy miała świadomość, że przenosząc się z mężem do Cannes, pozostawia za sobą ogłuszoną, wykrwawioną Aimée - kobietę, która przez dwadzieścia pięć lat pragnęła zająć jej miejsce i jeszcze przed paroma minutami miała na to nadzieję?

- Powiedz coś, kochanie... Odpowiedz coś w końcu...

Wbiła w niego wzrok i wybałuszyła oczy. Co?! On pada na kolana? Ściska moją dłoń? Co on kombinuje? Na pewno zaraz wybuchnie łzami... Zawsze się przede mną wypłakuje... to takie męczące... nigdy nie mogłam go rozczulić, bo musiałam go cały czas pocieszać. To takie wygodne być mężczyzną, gdy mu to odpowiada, a kiedy mu pasuje, zamieniać się w babę.

Przyjrzała się sześćdziesięciolatkowi u swych stóp i nagle odniosła wrażenie, że jest on jej całkowicie obcy. Gdyby nie racjonalna część umysłu, która podpowiadała jej, że to Georges, mężczyzna, którego wielbiła od ćwierćwiecza, zerwałaby się na równe nogi, krzycząc: „Kim pan jest? Co pan u mnie robi? I kto panu pozwolił mnie dotykać?!".

I właśnie w chwili gdy pomyślała, że to ktoś inny, dokonała się jej przemiana. Spoglądając na obmierzłą larwę o farbowanych włosach, pochlipującą u jej stóp i obśliniającą jej kolana i dłonie, Aimée Favart przeobraziła się w ułamku sekundy w inną Aimée Favart. Tę, która przestała wierzyć w miłość.

Rzecz jasna, przez kilka następnych miesięcy dawna Aimée wypierała chwilami nową (zdarzyło się jej, po niezbyt poważnej próbie samobójstwa, spędzić z Georges'em jeszcze jedną noc), ale w sierpniu, kiedy wreszcie wyjechał na południe, nowa Aimée przejęła niepodzielną władzę nad dawną. Nawet więcej: po prostu ją uśmierciła.

Ze zdumieniem przyglądała się swojej przeszłości.

Jak mogła uwierzyć, że naprawdę darzył ją uczuciem? Po prostu potrzebował kochanki – pięknej miłej idiotki.

Piękna, uległa i głupia...

Z pewnością była piękna. Wszyscy jej to mówili do czasu rozstania. Tylko ona tak nie uważała... Bo – jak w przypadku tylu innych kobiet – własna uroda wcale nie wzbudzała w niej zachwytu. Nieduża, szczupła, o drobnych piersiach, zazdrościła krągłym olbrzymkom, podsycając swój kompleks wzrostu i chudości. Po zerwaniu z Georges'em spojrzała na siebie łaskawszym okiem i uznała, że „jest o wiele za dobra dla byle faceta". Uległość wynikała z braku szacunku dla siebie. Aimée była jedynaczką, a matka, która nie zdradziła jej nawet, kto ją spłodził, traktowała córkę jak piąte koło u wozu. Nie znała świata mężczyzn, tak więc kiedy została sekretarką w przedsiębiorstwie kierowanym przez Georges'a, nie potrafiła się oprzeć starszemu mężczyźnie, który w jej oczach niewinnej dziewicy jawił się jako zarazem ojciec i kochanek. Gdzie w tym wszystkim romantyzm? – uznała, że piękniej jest kochać kogoś, kogo nie można poślubić...

Głupia? W Aimée, jak w każdej ludzkiej istocie, głupota i inteligencja zamieszkiwały odrębne regiony, co sprawiało, że w pewnych obszarach bywała błyskotliwa, w innych zaś bardzo niemądra: choć znakomicie sprawdzała się w pracy, okazała się głupiutka, wkraczając w przestrzeń właściwą sentymentom. Jej koledzy radzili jej setki razy, żeby zerwała z tym facetem – i setki razy odczuwała wtedy satysfakcję, że potrafi się im sprzeciwić. Wspominali coś o głosie rozsądku? Chlubiła się tym, że odpowiada głosem serca.

Przez dwadzieścia pięć lat dzielili razem codzienność w pracy - nigdy codzienność małżeńską. Dzięki temu ich wspólne wypady były o tyleż piękniejsze i cenniejsze! Tak jak pieszczoty skradzione pospiesznie w biurze - rzadko przyjmowała go u siebie wieczorami; jedynie wówczas gdy nadarzył się pretekst przeciągających się w nieskończoność narad. Upłynęło ćwierć wieku, a ich związek nie miał kiedy się zużyć.

Trzy miesiące po wyjeździe na południe Georges zaczął do niej pisać. Im więcej dni mijało, tym jego listy pełniejsze były namiętności i uczuć. Efekt rozłąki?

Nie odpisywała. Choć bowiem zwracał się do dawnej Aimée, czytała je ta nowa - i wywnioskowała z nich beznamiętnie, że Georges musiał się już znudzić życiem z żoną. Z odrazą przebiegała kolejne stronice, które coraz bardziej upiększały przeszłość.

On majaczy, ten emeryt! W tym tempie za trzy miesiące okaże się, że mieszkaliśmy w Weronie, on miał na imię Romeo, a ja Julia!

Została w pracy, uznała, że nowy dyrektor jest człowiekiem niepoważnym (przede wszystkim gdy się do niej uśmiechał), i zabrała się, z niejaką przesadą, do uprawiania sportów. Miała czterdzieści osiem lat, a kiedy był na to czas, nie mogła mieć dzieci, bo Georges już je posiadał. Zdecydowała, że wcale jej ich nie brakuje.

– Żeby ukradły mi najlepsze lata, wyssały serce i pewnego dnia odleciały w świat, zostawiając w jeszcze większej samotności? Nie, dziękuję! A poza tym albo trzeba być kretynem, albo ulec kompletnemu zamroczeniu, żeby dorzucać jeszcze jakieś istoty na tę planetę, sparszywiałą od zanieczyszczeń i ludzkiego debilizmu.

W firmie wiodło się coraz gorzej – żałowano, że odszedł dawny dyrektor, pan Georges. Nastąpiła reorganizacja, a co za tym idzie, redukcja etatów i w wieku pięćdziesięciu lat Aimée Favart, niespecjalnie się temu dziwiąc, znalazła się na bruku.

Zaliczała jakieś beznadziejne, upupiające szkolenia, szukała opieszale nowej pracy, aż wreszcie dopadły ją problemy finansowe. Bez żalu zaniosła do jubilera kasetkę ze swoją biżuterią.

– Ile pani się spodziewa za to dostać?

– Nie mam pojęcia, to pan musi mi powiedzieć.

– No tak... ale tu nie ma nic wartościowego. To tylko fantazyjne ozdoby, żadnego drogiego kamienia, nic z czystego złota, nic, co...

– Domyślam się: to są prezenty od niego.

– Od niego?

– Od człowieka, który uważał się za mężczyznę mojego życia. Dawał mi błyskotki, jak konkwistadorzy Indianom w Ameryce. I wie pan co? Byłam mu tak uległa, że mi się to podobało. Czyli to nic nie jest warte?

– Niewiele.

– Musi pan przyznać, że to był łajdak.

– No nie wiem, proszę pani. Ale z pewnością, kiedy się kocha kobietę...

– To co?

– Kiedy się kocha kobietę, to się jej nie kupuje takiej biżuterii.

– No, widzi pan! Byłam tego pewna!

Aimée triumfowała. Jubiler powtórzył zdanie, które zwykł wypowiadać przy zupełnie innej okazji: kiedy próbował przekonać klienta, aby kupił kosztowniejszą rzecz...

Mimo że opuściła sklepik jedynie z trzema lichymi banknotami, jej serce wypełniała radość: zyskała potwierdzenie specjalisty, że Georges był tylko nędznym śmieciem.

Kiedy wróciła do domu, otworzyła szafy, by wyłowić spośród swoich rzeczy prezenty od Georges'a. Połów okazał się marny nie tylko ilościowo – jego jakość wzbudziła jej pusty śmiech. Futerko z królików. Nylonowa bielizna. Zegarek nie większy od tabletki aspiryny. Notes bez marki, którego skórzana oprawa cuchnęła jeszcze kozą. Bielizna z bawełny. Kapelusz, którego nie było gdzie nosić, chyba że przy okazji ślubu na angielskim dworze. Jedwabny szalik z obciętą metką. Bielizna z czarnego lateksu.

Padając na łóżko, zawahała się pomiędzy śmiechem a łzami. Zadowoliła się kaszlem. Oto trofea dwudziestopięcioletniej namiętności! Jej wojenne łupy...

By poprawić sobie trochę nastrój, skierowała swą pogardę przeciw niemu. Pod pretekstem, że nie chce, by jego żona zwróciła uwagę na regularne i nieusprawiedliwione wydatki, Georges nie był wobec niej zbyt hojny. Hojny? Przeciętny! Nawet nie przeciętny. Sknera, ot co!

A ja uważałam to za powód do chwały! Byłam dumna, że kocham go nie dla pieniędzy! Co za skończona idiotka! Wierzyłam, że wprawiam w ekstazę zakochanego, tymczasem uspokajałam sumienie skąpca...

Przeszła do saloniku, by nakarmić papużki, i spojrzawszy na obraz wiszący nad klatką, o mało nie udusiła się z wściekłości.

– Mój Picasso! To już naprawdę ostateczny dowód, że uważał mnie za kretynkę.

Płótno, gra rozrzuconych form, układanka z elementów ludzkiej twarzy – tu jakieś oko, nad nim nos, ucho na środku czoła – przedstawiało podobno kobietę z dzieckiem. To był dziwny dzień, kiedy je przyniósł. Blady, o posiniałych wargach, cały dygotał, gdy podając jej obraz, powiedział drżącym głosem:

– No, nadrabiam zaległości. Nikt nie powie, że przynajmniej raz nie byłem wobec ciebie naprawdę szczodry.

– Co to jest?

– Picasso.

Odwinęła płótno spowijające obraz, obejrzała go i aby się upewnić, powtórzyła:

– Picasso?

– Tak.

– Prawdziwy?

– Tak.

Ledwie zdobyła się na odwagę, by go dotknąć, bojąc się, że jakaś niezręczność z jej strony sprawi, iż się ulotni, po czym wyjąkała:

– Jak to możliwe?... Skąd go masz?

– Och, o to, proszę cię, nigdy mnie nie pytaj!

Jego rezerwę zinterpretowała wówczas jako skromność mężczyzny, który wypruwał z siebie żyły, by ofiarować coś ukochanej kobiecie. Nieco później, myśląc o tym, jak wydawał się przerażony, poddała się krótkiemu uniesieniu, zadając sobie pytanie, czy aby go dla niej nie ukradł. Wydawał się jednak tak dumny ze swego prezentu... No i z natury był uczciwy.

Poradził jej, by dla własnego bezpieczeństwa twierdziła, że to falsyfikat.

– Rozumiesz, kochanie, niemożliwe, żeby jakaś mieszkająca w tanim bloku sekretarka miała oryginalnego Picassa. Wyśmialiby cię.

– Masz rację.

– A co gorsza, gdyby prawda wyszła na jaw, na pewno ktoś by się włamał. Jeśli nie chcesz się z nim rozstać, najbezpieczniej dla ciebie będzie utrzymywać, że nie jest prawdziwy.

Tak zatem Aimée prezentowała obraz bardzo nielicznym osobom, przekraczającym próg jej mieszkania, mówiąc: „Oto mój Picasso... Oczywiście, fałszywy" – i wybuchała śmiechem, by podkreślić swój żart.

Teraz, z perspektywy czasu, fortel Georges'a wydał się jej diaboliczny: zobligować ją, by twierdziła, że Picasso jest fałszywy, a przy tym była przekonana – ona i tylko ona – iż jest prawdziwy!

Niemniej przez kilka tygodni targały nią sprzeczne uczucia: z jednej strony była pewna, że ją oszukał, z drugiej zaś – wciąż jeszcze miała nadzieję, iż się myli. Czegokolwiek dowiedziałaby się o swoim obrazie, czułaby się zawiedziona – albo dlatego że okazałaby się biedna, albo z tego powodu, iż musi oddać honor Georges'owi.

Rama, przed którą zastygała nieruchomo, przemieniała się w ring, na którym toczyły bój dawna i nowa Aimée – ta pierwsza wierzyła w miłość i prawdziwość Picassa, ta druga widziała fałszywość Picassa i Georges'a.

Zasiłek dla bezrobotnych coraz bardziej się kurczył, Aimée zadręczała się, szukając pracy. Podczas spotkań w sprawie zatrudnienia nie pokazywała żadnych swych atutów, tak bardzo leżało jej na sercu, by nie dać się okpić. Jej rozmówcy mieli przed sobą twardą, oschłą, zamkniętą w sobie kobietę w zaawansowanym wieku, stawiającą wygórowane wymagania finansowe, demonstrującą trudny charakter, niezdolną do ustępstw i pełną podejrzeń, że zostanie wykorzystana - równie mocno nastawioną obronnie, jak i agresywną. Nieświadomie sama wykluczała się z wyścigu, w którym - tak się jej przynajmniej zdawało - wciąż jeszcze brała udział.

Kiedy już wyskrobała ostatnie oszczędności, zdała sobie sprawę, że jeśli natychmiast nie wymyśli jakiegoś rozwiązania, znajdzie się w nędzy. Odruchowo pospieszyła do mebelka z rachunkami i zaczęła gorączkowo grzebać w szufladzie w poszukiwaniu karteczki, na której zapisała numer w Cannes.

Telefon odebrała gosposia. Przyjęła do wiadomości, że Aimée chciałaby rozmawiać z panem, po czym pogrążyła się w ciszy wielkiego domu. Aimée usłyszała kroki i rozpoznała krótki wystraszony oddech Georges'a.

– Aimée?

– Tak.

– No nareszcie. Co się dzieje? Ale przecież wiesz, że nie możesz tu dzwonić, kiedy jestem z żoną...

W kilku zdaniach, bez żadnych oporów, odmalowała przed nim apokaliptyczny obraz swojej sytuacji. Niewiele było trzeba, by rozpłynęła się w litości nad sobą, lecz nowa zbroja jej cynizmu nie pozwalała jej się rozkleić, a przerażony oddech Georges'a w słuchawce wprawił ją niemal we wściekłość.

– Georges, pomóż mi, proszę – zakończyła.

– Po prostu sprzedaj Picassa.

Myślała, że się przesłyszała. Co? On się ośmiela...

– Tak, moje kochane maleństwo, po prostu sprzedaj twojego Picassa. Po to ci go dałem. Żebyś miała zabezpieczenie w razie potrzeby, bo nie mogłem się z tobą ożenić. Sprzedaj Picassa.

Zacisnęła usta, żeby nie wrzeszczeć. Więc do końca ma ją za idiotkę!

– Idź do Tanaeva, pod numerem 21 przy ulicy de Lisbonne. Od niego go kupiłem. Uważaj, żeby cię nie oszwabili. Pytaj o Tanaeva ojca. Uwaga, rozłączam się. Nadchodzi moja żona. Do widzenia, moja maleńka, cały czas myślę o tobie.

I się rozłączył. Tchórz i panikarz. Taki jak zawsze.

Co za policzek! Boże, co za policzek! I dobrze jej tak! Nie powinna była dzwonić.

Poniżona Aimée stanęła przed obrazem i wyładowała na nim swą wściekłość:

- Nigdy! Słyszysz mnie? Przenigdy nie pójdę do marszanda, by potwierdził, że byłam idiotką, a Georges łajdakiem. Już o tym wiem, piękne dzięki.

Niemniej dwa dni później, kiedy elektrownia zagroziła wyłączeniem prądu, Aimée wsiadła do taksówki i podała adres:

- Tanaev, ulica de Lisbonne numer 21, proszę.

Choć pod wskazanym adresem był tylko sklep z ubraniami dla dzieci, wysiadła z samochodu i niosąc pod pachą opakowany obraz, weszła w bramę.

- Pewnie jest w oficynie albo na piętrze - pomyślała.

Przeczytawszy czterokrotnie listy lokatorów w obu klatkach schodowych, zaczęła rozglądać się za dozorcą, by zdobyć od niego nowy adres Tanaeva, aż wreszcie pojęła, że kamienice bogatych, w odróżnieniu od siedzib biednych, są domeną anonimowych firm, zajmujących się sprzątaniem.

Nim odeszła, zajrzała jeszcze na wszelki wypadek do sklepu z ubrankami.

– Przepraszam, szukam pana Tanaeva ojca i myślałam, że...

– Tanaev? Zniknął jakieś dziesięć lat temu.

– Och, a wie pan może, dokąd się wyprowadził?

– Wyprowadził? Tacy jak on się nie wyprowadzają. Znikają. Koniec i kropka.

– Co pan ma na myśli?

– Kiedy już się zgromadzi łup, trzeba się z nim gdzieś schować. Bóg jeden wie, gdzie on dziś może być: w Rosji, Szwajcarii, Argentynie, na Bermudach...

– Tylko... widzi pan... sprzedał mi kiedyś obraz...

– Och, nieszczęsna!

– Dlaczego nieszczęsna?

Kupiec spostrzegł, iż z twarzy Aimée odpłynęła cała krew, i zganił się za to, że mówił prosto z mostu.

– Proszę posłuchać, kochana pani, ja tam nic nie wiem. Może pani obraz jest znakomity i pewnie wart fortunę. Myślę, że mam coś dla pani...

Poszukał w pudełku z luźnymi kartkami i wyciągnął wizytówkę:

– Proszę, oto adres eksperta od sztuki Marcela de Blaminth. Mieszka przy ulicy de Flandres.

Przekroczywszy próg Marcela de Blaminth, Aimée straciła wszelką nadzieję. Pośród ścian obitych ciężkim i dźwiękochłonnym karmazynowym aksamitem, który izolował pomieszczenie od wszystkiego, co znajdowało się na zewnątrz, przygnieciona monumentalnymi obrazami w rzeźbionych złotych ramach, poczuła się w zupełnie innym świecie.

Majestatyczna sekretarka, z włosami upiętymi w kok, obrzuciła ją podejrzliwym spojrzeniem spod okularów w szylkretowej oprawce. Aimée zdołała jakoś wyjąkać, z czym przychodzi, pokazała obraz i groźna amazonka wprowadziła ją do gabinetu.

Marcel de Blaminth, nim obejrzał płótno, dokładnie zbadał swojego gościa. Miała wrażenie, że analizuje ją od czółenek na stopach aż po samą szyję, oceniając pochodzenie i wartość każdej części jej ubrania i biżuterii. Na obraz spojrzał tylko raz.

– Gdzie są certyfikaty?

– Nie mam...

– Akt kupna.

– To był prezent.

– Może go pani zdobyć?

– Nie sądzę. Ten... Ta osoba zniknęła z mojego życia.

– Rozumiem. Może dałoby się go wydobyć od marszanda? Kto to był?

– Tanaev – wymamrotała Aimée nieomal ze wstydem.

Podniósł brew, a w jego oku błysnął wyraz niesłychanej odrazy.

– Niedobrze to wygląda, proszę pani.

– Może jednak mógłby pan...

– Rzucić okiem na obraz? Ma pani rację. Tylko to naprawdę się liczy. Bywa, że bardzo wybitne dzieła powracają z nieznanych, czasem bardzo podejrzanych wędrówek. Liczy się dzieło. Nic innego, tylko dzieło.

Zmienił okulary i podszedł do Picassa. Czas płynął. Badał płótno, obmacywał ramę, mierzył ją, oglądał szczegóły przez lupę, cofał się i zaczynał od nowa.

Wreszcie oparł się dłońmi o stół:

– Nie wezmę od pani pieniędzy za ekspertyzę.

– Ach tak?

– Tak. Nie ma powodu, by dorzucać jeszcze jedno nieszczęście do pani niepowodzeń. To falsyfikat.

– Falsyfikat?

– Falsyfikat.

Chcąc ratować twarz, zachichotała szyderczo:

– Zawsze to wszystkim mówiłam.

Po powrocie do domu Aimée powiesiła obraz z powrotem nad klatką z papużkami i – co nieczęsto zdarza się ludziom – zmusiła się do uczciwego podsumowania całego swego życia, rozliczając się z wszystkimi klęskami uczuciowymi, rodzinnymi i zawodowymi. Potem przejrzała się w lustrze w sypialni i stwierdziła, że jej sylwetka, dzięki ćwiczeniom oraz makrobiotycznej diecie, przedstawia się całkiem nieźle. Jak długo jeszcze? W każdym razie to ciało, z którego była teraz tak dumna, przeznaczone było wyłącznie dla tamtego lustra - nie zamierzała już nigdy oddać go nikomu.

Skierowała się w stronę łazienki zdecydowana pomoczyć się w wannie i z mglistym pragnieniem popełnienia samobójstwa.

Bo niby czemu nie? To w końcu jest rozwiązanie. Jaka przyszłość mnie czeka? Nie mam pracy, nie mam pieniędzy, nie mam mężczyzny, nie mam dzieci, zbliża się starość, a potem śmierć. Miłe perspektywy... Logicznie rzecz biorąc, powinnam się zabić.

Jedynie logika skłaniała ją ku odebraniu sobie życia, poza tym wcale nie miała na to ochoty. Jej skóra domagała się ciepłej kąpieli; usta marzyły o smaku melona i o plasterkach szynki, czekającej na kuchennym stole; dłoń potwierdziła doskonały kształt ud, a potem zagłębiła się we włosy, podziwiając ich jedwabistą bujność. Odkręciła wodę i wrzuciła do wanny musującą kapsułkę rozsiewającą zapach eukaliptusa.

Co zatem robić? Nadal starać się przeżyć?

Do drzwi zadzwoniła konsjerżka.

– Pani Favart, czy byłaby pani skłonna wynająć swój pokój gościnny?

– Nie mam pokoju gościnnego.

– Ależ tak, ten mały pokoik, z oknami na stadion.

– Używam go do szycia i prasowania.

– Ale jeśli pani wstawi łóżko, można go wynajmować studentkom. Uniwersytet jest tuż obok i wciąż mnie pytają, czy nie ma tutaj jakichś pokoi... Pomogłoby to pani związać jakoś koniec z końcem, nim pani znajdzie nową robotę... Na pewno już wkrótce...

Wchodząc do wanny, poruszona Aimée czuła się w obowiązku podziękować Bogu, w którego zresztą nie wierzyła, że w ostatniej chwili zesłał jej rozwiązanie.

Tak zatem przez następne dziesięć lat wynajmowała gościnny pokój studentkom z uniwersytetu. Dodatkowe dochody, wraz z minimalną zapomogą, pozwalały jej przetrwać w oczekiwaniu na emeryturę. Uznawszy, że wynajmowanie pokoju stało się jej zawodem, fachowo selekcjonowała lokatorki, opierając się na sześciu przykazaniach przezornej gospodyni, które sobie zapisała:

1° Pobierać opłatę za miesiąc z góry oraz zdobyć dokładny i sprawdzony adres rodziców.

2° Aż do końca zachowywać się wobec lokatorki jak gospodyni, która jedynie toleruje intruza.

3° Przedkładać starsze siostry nad młodsze – są bardziej zdyscyplinowane.

4° Przedkładać dziewczyny o niższym pochodzeniu nad te z bogatych rodzin – bardziej dbają o czystość i są mniej bezczelne.

5° Nigdy nie pozwalać im mówić o ich prywatnym życiu – w przeciwnym razie zaczną sprowadzać chłopaków.

6° Przedkładać Azjatki nad Europejki – są grzeczniejsze, bardziej dyskretne, bywają wdzięczne; posuwają się nawet do wręczania prezentów.

Choć Aimée nie przywiązała się do żadnej ze studentek, doceniała fakt, że jednak nie jest całkiem sama. Zadowalało ją kilka zdań wymienionych z lokatorką w ciągu dnia – uwielbiała przy tym dać odczuć takiej młodej gęsi, że ma od niej o niebo więcej doświadczenia.

I trwałoby to zapewne jeszcze długo, gdyby lekarz nie odkrył podejrzanych guzów na ciele Aimée. Okazało się, że ma raka z przerzutami – co raczej odgadła, niż jej jasno powiedziano. Wiadomość ta przyniosła jej ulgę: nie będzie już musiała walczyć o przetrwanie. Miała jednak problem, czy wynająć pokój jeszcze w następnym roku.

Tamtego października zaakceptowała w końcu, na drugi rok z rzędu, młodą Japonkę imieniem Kumiko, która przygotowywała licencjat z chemii.

Była szczera wobec dyskretnej studentki:

– Widzisz, Kumiko, jestem bardzo chora i wiele czasu będę musiała spędzić w szpitalu. Nie myślę, żebym mogła nadal wynajmować ci mieszkanie.

Smutek dziewczyny zaskoczył Aimée tak bardzo, że w pierwszym odruchu pomyślała niesłusznie, iż tamta boi się wylądować na ulicy. Potem jednak zrozumiała, że Kumiko naprawdę cierpi z powodu tego, co spotkało jej gospodynię.

– Pani pomagać. Odwiedzać panią w szpitalu. Dobra żywność gotować. Pani opiekować. Nawet mieszkać w pokój akademika, zawsze dla pani czas mieć...

Biedna dziewczyna – pomyślała Aimée – w jej wieku też byłam taka naiwna i tak dobra. Kiedy przeżyje tyle co ja, spuści z tonu.

Aimée, przytłoczona i rozbrojona objawami przywiązania, nie miała odwagi wyrzucić Kumiko i pozostawiła ją w mieszkaniu.

Wkrótce nie opuszczała już w ogóle szpitala.

Kumiko odwiedzała ją każdego wieczora. I tylko ona jedna.

Aimée nie była przyzwyczajona, by ktoś aż tak się o nią troszczył. Pewnego dnia doceniła uśmiech Kumiko – był jak balsam, który pozwalał uwierzyć, że mimo wszystko ludzkość nie zgniła tak całkiem; kiedy indziej jednak gdy pojawiła się życzliwa twarz Japonki, buntowała się, że ktoś śmie zakłócać jej agonię. Czemu nie dadzą jej umrzeć w spokoju! Owe zmiany nastroju Kumiko przypisywała postępom choroby – wybaczała konającej przekleństwa oraz ataki złości i niezmiennie jej współczuła.

Pewnego wieczoru Japonka nieświadomie popełniła błąd, który całkowicie zmienił postawę Aimée. Lekarz wyznał chorej, że nowa terapia okazała się nieskuteczna, co oznaczało po prostu, że to już długo nie potrwa. Aimée nawet nie mrugnęła okiem. Odczuła coś w rodzaju tchórzliwej ulgi, tak jak żołnierz przy zawieszeniu broni. Nie ma już potrzeby walczyć. Nie będzie już więcej katorżniczych zabiegów. Wreszcie zostanie jej oszczędzona tortura nadziei – ten nieustanny niepokój. Musi już tylko umrzeć. Tak więc zawiadomiła Kumiko o terapeutycznej klęsce z niejaką pogodą ducha. Ale Japonka zareagowała gwałtownie – płacze, krzyki, uściski, jęki. Przez chwilę był spokój, a potem wszystko od nowa. Kiedy tylko Kumiko odzyskała głos, chwyciła za telefon komórkowy i zadzwoniła do trzech osób w Japonii, by pół godziny później oznajmić triumfalnie Aimée, że będą ją leczyć w jej ojczyźnie, stosując nieznane we Francji metody. Zobojętniała, zmęczona ową demonstracją uczuć Aimée czekała tylko, aż Kumiko sobie pójdzie, a ta smarkula odważyła się zepsuć jej umieranie! Jak mogła się nad nią tak znęcać, bzdurząc coś o wyleczeniu?

Postanowiła się zemścić.

Nazajutrz, kiedy tylko Kumiko wsadziła swój żółty nos w drzwi jej pokoju, Aimée rozwarła ramiona i zawołała:

– Moja mała Kumiko, chodź mnie uściskać!

Po odpowiedniej porcji szlochów i czułych przytuleń wygłosiła patetycznym tonem przerywaną westchnieniami deklarację wielkiej miłości, z której wynikało, że Kumiko stała się dla niej jak córka. Tak, właśnie córka, o której zawsze marzyła – córka, która towarzyszyła jej w ostatnich chwilach i dzięki której poczuła, że nie jest sama na świecie.

– Och, moja przyjaciółko, moja młoda przyjaciółko, moja jedyna przyjaciółko...

Odmieniała to słowo przez wszystkie przypadki, aż w końcu sama się wzruszyła i zaczęła coraz bardziej wierzyć w to, co mówi.

– Jaka ty jesteś dobra, Kumiko! Ja też taka byłam w twoim wieku, kiedy jeszcze wierzyłam w ludzką prawość, w miłość, przyjaźń... Moja biedna Kumiko, jesteś tak samo naiwna jak ja wtedy, ale na pewno nadejdzie dzień, że doznasz takich jak ja rozczarowań... Wiesz, kochanie, bardzo mi ciebie żal... Ale co to ma za znaczenie? Trzymaj się! Zostań jak najdłużej taka, jaka jesteś! Będzie jeszcze czas, by ktoś cię zawiódł i zdradził...

Nagle wróciła na ziemię i przypomniała sobie, że ma do wykonania plan. Zemsta! Ciągnęła zatem dalej:

– Aby ci się odwdzięczyć i żebyś mogła uwierzyć w ludzką dobroć, mam dla ciebie prezent.

– Nie chcę ja.

– Tak, zostawię ci jedyną wartościową rzecz, jaką mam.

– Nie, pani Favart, nie.

– Tak! Zapisuję ci mojego Picassa.

Dziewczyna zastygła z otwartymi ustami.

– Widziałaś ten obraz nad klatką z papużkami. To jest Picasso. Najprawdziwszy Picasso. Udawałam, że jest fałszywy, żeby nie wzbudzać zazdrości i nie prowokować złodziei. Ale możesz mi wierzyć, Kumiko, to prawdziwy Picasso.

Skamieniała dziewczyna zbladła jak trup.

Aimée przebiegł dreszcz. Czy mi uwierzyła? Domyśla się, że to falsyfikat? Może zna się na sztuce?

Łzy zalśniły w skośnych oczach i Kumiko wyjęczała w rozpaczy:

– Nie, pani Favart, pani trzymać Picasso, ja zabrać pani do Japonia nowo leczyć.

Uff, wierzy mi – pomyślała Aimée i zawołała:

– Jest dla ciebie, Kumiko, dla ciebie! I tak musi być! Nie traćmy czasu, zostało mi tylko kilka dni.

Popatrz, przygotowałam papiery dotyczące darowizny. Biegnij znaleźć jakichś świadków na korytarzu, żebym mogła odejść w spokoju sumienia.

Aimée podpisała dokument w obecności lekarza i pielęgniarki, którzy dołączyli własne sygnatury. Wstrząsana szlochem Kumiko schowała papier do kieszeni i obiecała, że pojawi się nazajutrz, najwcześniej jak tylko będzie mogła. Żegnała się z Aimée nieznośnie długo, a potem przesyłała jej dłonią całusy, aż wreszcie zniknęła w końcu korytarza.

Odczuwszy ulgę, Aimée, nareszcie sama, uśmiechnęła się do sufitu.

Biedna smarkulo – pomyślała – łudzisz się, że jesteś bogata, ale tym bardziej gorzko zapłaczesz po mojej śmierci. Przynajmniej będziesz miała dobry powód. Mam nadzieję, że już cię nigdy nie zobaczę.

Musiał to usłyszeć Pan Bóg, w którego Aimée nie wierzyła, bo następnego ranka zapadła w śpiączkę i kilka dni później, z czego nawet nie zdawała sobie sprawy, kolejna dawka morfiny wysłała ją na tamten świat.

Czterdzieści lat później Kumiko Kruk – największa fortuna w Japonii, królowa przemysłu kosmetycznego na skalę światową, uwielbiana przez media z powodu swoich sukcesów, charyzmy i hojności starsza pani – zostając ambasadorem UNICEF-u, tak oto wytłumaczyła prasie swe akcje humanitarne:

– Jeśli przeznaczam część moich dochodów na walkę z głodem i opiekę medyczną dla najuboższych, dzieje się to na cześć Aimée Favart, mojej wielkiej francuskiej przyjaciółki z czasów młodości, która ofiarowała mi na łożu śmierci obraz Picassa. Pieniądze uzyskane z jego sprzedaży pozwoliły mi założyć moje przedsiębiorstwo. Choć właściwie nawet bliżej mnie nie znała, uparła się, by zrobić mi ów bezcenny prezent. Od tamtej pory zawsze wydawało mi się oczywiste, że moja fortuna powinna z kolei ulżyć doli innym nieznajomym. Tamta kobieta, Aimée Favart, była wcieloną miłością. Wierzyła w ludzkość jak nikt. Zaszczepiła mi wartości, w które wierzyła, i to właśnie, a nie cenny obraz Picassa, było bez wątpienia jej najpiękniejszym darem.

Wszystko, czego potrzeba do szczęścia

Prawdę mówiąc, do niczego by nie doszło, gdybym nie zmieniła fryzjera.

Moje życie biegłoby spokojnie dalej wśród pozorów szczęścia, gdyby nie zrobiła na mnie takiego wrażenia szałowa fryzura Stacy po jej powrocie z wakacji. Była zupełnie odmieniona! Obcięta na krótko, przemieniła się z mieszczki w średnim wieku, steranej wychowywaniem czworga dzieci, w śliczną wysportowaną i dynamiczną blondynkę. W pierwszej chwili podejrzewałam, że skróciła kudły, by lepiej było widać udany rezultat operacji plastycznej - tak robią wszystkie moje przyjaciółki po liftingu - ale kiedy przy bliższym zbadaniu okazało się, że jej oblicza nie tknął żaden skalpel, doszłam do wniosku, że po prostu znalazła idealnego fryzjera.

- Ideał, moja kochana, ideał! Klinika Włosa przy Victor-Hugo. Tak, słyszałam o niej już wcześniej, ale wiesz, jak to bywa... Z fryzjerem podobnie jak z mężem: człowiek jest latami przekonany, że własny jest najlepszy!

Zachowałam dla siebie szyderczą uwagę na temat dumnej nazwy (Klinika Włosa - też coś!) i dowiedziałam się, że należy się powołać na nią, prosząc o Davida („Geniusz, moja kochana, najprawdziwszy geniusz!").

Już tego samego wieczoru uprzedziłam Samuela o przyszłej metamorfozie.

- Myślę, że zmienię uczesanie.

Zdziwiony, przyglądał mi się przez kilka sekund.

- A niby dlaczego? Uważam, że masz świetną fryzurę.

- Ach, tobie się zawsze wszystko podoba. Nigdy mnie nie krytykujesz.

- Zarzucasz mi, że jestem twoim wielbicielem... A co ci się w tobie nie podoba?

- Wszystko. Mam ochotę coś zmienić.

Przemyślał głęboko moje oświadczenie, jakby pod jego pustotą kryły się niezwykle głębokie myśli. Spoglądał na mnie wnikliwie, zmieniłam więc temat i zaraz wyszłam z pokoju, bo nie miałam ochoty stać się obiektem jego dociekliwych badań. W rzeczy samej, naczelną cechą mego męża jest uwaga, jaką mi poświęca, co niekiedy mi ciąży: najprostsze zdanie, jakie wypowiem, zostaje roztrząśnięte, przeanalizowane i rozszyfrowane - w rozmowach z przyjaciółkami żartuję często, że poślubiłam własnego psychoanalityka.

– Tylko się nie skarż! – mówią mi wtedy. – Macie kupę forsy, jest przystojny, inteligentny, kocha cię i do tego jeszcze słucha tego, co wygadujesz! Czego ci jeszcze brakuje? Dzieci?

– Nie, jeszcze nie.

– No to masz wszystko, czego potrzeba do szczęścia.

„Wszystko, czego potrzeba do szczęścia". Czy jest w ogóle jakiś zwrot, który bym częściej słyszała? Innym też go ciągle powtarzają czy rezerwują specjalnie na mój użytek? Ledwie pozwolę sobie na najmniejszą skargę, natychmiast walą mi w twarz frazesem: „Masz wszystko, czego potrzeba do szczęścia". Czuję się wtedy, jakby wrzeszczeli na mnie: „Zamknij się, nie masz prawa jęczeć!", i trzaskali mi drzwiami przed nosem. Ale ja przecież nie chcę się skarżyć; próbuję tylko wspomnieć półżartem o maleńkich niewygodach, jakie są moim udziałem... Może winien jest mój głos, który (odziedziczyłam to po mamie) ma w sobie coś płaczliwego i jękliwego, tak że wydaje się, iż się żalę? A może mój status bogatej dziedziczki, która dobrze wyszła za mąż, nie pozwala mi na najmniejsze kompleksy w lepszym towarzystwie? Czasem przeszywa mnie dreszcz strachu, że mój sekret prześwituje spod tego, co mówię, ale trwa to ułamek sekundy, bo wierzę mocno, że potrafię się doskonale kontrolować. Poza Samuelem i mną – oraz kilkoma specjalistami, których trzyma w szachu tajemnica zawodowa - nikt nie ma o niczym pojęcia.

Udałam się zatem do Kliniki Włosa przy ulicy Victor-Hugo, skąd - gdybym nie pamiętała o cudzie, który spotkał Stacy - pewnie bym natychmiast uciekła z powodu przyjęcia, jakie mi zafundowano. Odziane w białe bluzy kapłanki zaczęły mnie nękać pytaniami o stan zdrowia, sposób odżywiania, uprawiane sporty i historię mego uwłosienia, a wszystko po to by sporządzić „bilans kapilarny". Następnie pozostawiły mnie na dziesięć minut na indyjskich poduszkach w towarzystwie naparu z ziół, zalatującego gnojem, by w końcu zaprowadzić mnie do pana Davida, który triumfalnie obwieścił, że się mną zajmie - zabrzmiało to, jakby przyjmował mnie do sekty po pomyślnie zakończonych próbach. A najgorsze, że czułam się w obowiązku mu podziękować.

Wspięliśmy się na piętro, gdzie znajdował się wspaniały salon o czystym i prostym wystroju, urządzony w stylu „Uwaga! Zainspirowała mnie tysiącletnia mądrość Indii!", a tam armia bosonogich westalek oferowała swe usługi w dziedzinie manikiuru, pedikiuru i masaży.

David studiował mnie z uwagą, a ja kontemplowałam wyzierającą spod rozpiętej koszuli włochatą męską pierś, zastanawiając się, czy jest to warunek, by zostać fryzjerem. W końcu zdecydował:

– Skrócę włosy, troszkę je przyciemnię przy samej głowie, a potem spłaszczę je po prawej stronie, a po lewej podniosę. Pełna asymetria. Tego pani potrzeba. Inaczej pani regularna twarz wydaje się całkowicie ściśnięta. Trzeba wyzwolić fantazję. Powietrza! Natychmiast potrzeba powietrza, otwarcia! Czegoś zaskakującego.

W odpowiedzi tylko się uśmiechnęłam, bo gdybym odważyła się na szczerą reakcję, natychmiast bym wyszła. Nie znoszę ludzi, którzy choćby przypadkiem trafiają w sedno, zbliżając się niebezpiecznie do mojej tajemnicy; lepiej jednak było zignorować te uwagi i posłużyć się tym całym figarem, by zyskać powierzchowność, która jeszcze lepiej pozwoli mi udawać.

– A więc, witaj przygodo! – oświadczyłam, by go zachęcić.

– Życzy pani sobie, by w tym czasie zajęto się pani dłońmi?

– Z przyjemnością.

I tak oto zaczęło się wypełniać przeznaczenie. Zawołał niejaką Nathalie, która coś tam układała na szklanej półeczce, ona zaś na mój widok wypuściła wszystko z rąk.

Hałas tłuczonego szkła zakłócił spokój sanktuarium owłosionej skóry. Nathalie wymamrotała przeprosiny i rzuciła się usuwać szkody.

– Nie wiedziałem, że robię na niej takie wrażenie – zażartował David, by zatrzeć incydent.

Kiwnęłam głową, choć nie dałam się zwieść: wyczułam panikę Nathalie jak podmuch wiatru na policzku. Przeraził ją mój widok. Dlaczego? Nie wydawało mi się, żebym ją znała (a niełatwo zapominam twarze), niemniej zaczęłam grzebać w pamięci.

Kiedy podniosła się z kolan, David zwrócił się do niej słodkim głosem, pod którym kryła się irytacja:

– Dobrze, Nathalie, a teraz pani i ja czekamy na ciebie.

Znów zbladła, wyłamując palce.

– Ja... ja... ja się nie za dobrze czuję.

David zostawił mnie na chwilę i wyszedł z nią na zaplecze. Parę sekund później wrócił z inną dziewczyną.

– Zajmie się panią Shakira.

– Nathalie jest chora?

– Kobiece sprawy, jak przypuszczam – oświadczył z odrazą skierowaną do wszystkich kobiet i ich niepojętych humorów.

Kiedy się zorientował, że dał plamę, zdradzając swą niechęć do kobiet, przywołał się do porządku i roztoczył przede mną uroki swej elokwencji.

Opuszczając Klinikę Włosa, zmuszona byłam przyznać Stacy rację: ten David był geniuszem nożyczek i farbowania. Zwalniałam przy każdej witrynie odbijającej mą postać i podziwiałam uśmiechniętą nieznajomą, która bardzo mi się spodobała.

Samuelowi zaparło dech, kiedy weszłam do salonu; trzeba dodać, że opóźniłam i przygotowałam wejście. Nie tylko obsypał mnie komplementami, cały czas się na mnie gapiąc, ale uparł się, że pójdziemy do mojej ulubionej restauracji Biały Dom - chciał, by inni zobaczyli, jak piękną kobietę poślubił.

Na moim szczęściu kładł się cieniem incydent ze spanikowaną manikiurzystką. Brakło mi cierpliwości, by czekać z wizytą w Klinice Włosa, aż znów będę musiała się ostrzyc, postanowiłam więc skorzystać z innych usług, jakie tam oferowano. I znowu historia się powtórzyła.

Trzykrotnie Nathalie wpadała w popłoch na mój widok i aby uniknąć spotkania ze mną, nie obsługiwać mnie, a nawet nie witać, okopywała się na zapleczu.

Jej zachowanie tak mnie zadziwiło, że w końcu zaczęłam się nią interesować. Podobnie jak ja, liczyła sobie około czterdziestki; była zwinna, cienka w talii, za to dość szeroka w biodrach, miała szczupłe ramiona i wysmukłe, ale mocne dłonie. Z pochyloną głową, na kolanach, robiąc swoje, nie szczędziła starań. Biła od niej pokora. Choć pracowała we wziętym i szykownym miejscu, w odróżnieniu od swych koleżanek, nie uważała się za kapłankę luksusu, ale zachowywała się jak oddana służąca – cicha, niemal niewolnica... Gdyby przede mną nie uciekała, uznałabym, że jest bardzo sympatyczna... Przetrząsnęłam najgłębsze zakamarki pamięci i nabrałam pewności, że nigdyśmy się nie spotkały; nie mogłam też podejrzewać, że w czymś jej zawiniłam w sprawach zawodowych, bo jako szefowa Fundacji Sztuki Współczesnej nie miałam nic wspólnego ze sprawami personalnymi.

Po kilku wizytach rozpracowałam jej strach: bała się po prostu, że ją zauważę. W głębi duszy nie czuła do mnie nienawiści ani nawet urazy: chciała tylko stać się niewidzialna, kiedy zjawiałam się przy Victor-Hugo. W rezultacie wyłącznie na nią zwracałam uwagę.

Doszłam do wniosku, że musi skrywać jakąś tajemnicę. Jako specjalistka od kamuflażu, byłam tego pewna.

I zrobiłam coś, od czego nie było już odwrotu: zaczęłam śledzić Nathalie.

Czyhałam na nią cierpliwie, czekając, aż zamkną, zaczajona za zasłoną restauracji sąsiadującej z Kliniką Włosa, schowana pod szerokim rondem kapelusza i z twarzą ledwie widoczną zza ogromnych ciemnych okularów. Tak jak na to liczyłam, Nathalie pożegnała się pospiesznie z koleżankami i samotnie pogrążyła się w czeluściach metra. Pobiegłam za nią szczęśliwa, że przezornie zaopatrzyłam się przedtem w bilety.

Zdołałam być na tyle dyskretna - w czym pomogła mi godzina szczytu - że nie dostrzegła mnie w wagonie ani podczas przesiadki. Miotana wstrząsami, potrącana wciąż przez współpasażerów, uznałam, że znalazłam się w dość absurdalnej, interesującej sytuacji: nigdy dotąd nie śledziłam żadnego mężczyzny, a tym bardziej kobiety. Serce biło mi mocno, jak wtedy gdy w czasach dzieciństwa odkrywałam nową zabawę.

Wysiadła na placu d'Italie i weszła do galerii handlowej. W środku kilka razy bałam się, że na nią wpadnę, bo znając świetnie miejsce, szybko robiła zakupy na kolację i o wiele trudniej było ją zlokalizować niż w metrze.

W końcu, obciążona torbami, zagłębiła się w wąskie uliczki Butte-aux-Cailles, modnej dziś, a niegdyś rewolucyjnej, pełnej skromnych robotniczych domków dzielnicy. Sto lat temu tłoczyli się w nich biedni, opuszczeni, wyobcowani, zepchnięci na skraj miasta proletariusze; dziś nowobogaccy wykupują je za cenę złota, by zafundować sobie złudzenie, że - zważywszy na tutejsze ceny - posiadają w Paryżu prawdziwą rezydencję. To chyba niemożliwe, by zwykła manikiurzystka mieszkała tutaj?

Uspokoiła mnie, gdy minęła ukwiecone aleje willowe i znalazłyśmy się we wciąż jeszcze robotniczej okolicy, pełnej składów, fabryczek i zarzuconych żelastwem placów. Przekroczyła szeroką bramę z wypłowiałych desek i zniknęła w drzwiach stojącego w głębi maleńkiego szarego domku o podniszczonych okiennicach.

No i proszę. Tu trop się urywał. Choć się nieźle bawiłam, nie dowiedziałam się właściwie niczego. Co jeszcze mogłam zrobić? Przeczytałam widniejące przy dzwonkach na bramie nazwiska sześciorga lokatorów wielkiego podwórza i znajdujących się tu magazynów. Nic mi nie mówiły – zidentyfikowałam tylko mimochodem nazwisko słynnego kaskadera i przypomniałam sobie, że widziałam reportaż odsłaniający tajemnice jego sztuczek, które opracowywał na tym właśnie placu.

No i co teraz?

Nie posunęłam się naprzód. Co prawda śledzenie Nathalie okazało się całkiem zabawne, nic mi jednak nie dało. Nadal nie miałam pojęcia, dlaczego wpada w panikę na mój widok.

Już miałam wracać, kiedy to, co zobaczyłam, sprawiło, że aby nie upaść, musiałam oprzeć się o mur. Czy to możliwe? Czy ja zwariowałam?

Zamknęłam oczy, a potem je otwarłam, próbując usunąć omam. Schyliłam się, by raz jeszcze przyjrzeć się sylwetce człowieka, który pospiesznie nadchodził ulicą.

Tak. Nie było wątpliwości. Widziałam Samuela.

To był mój mąż, ale o dobrych dwadzieścia lat młodszy...

Młody człowiek schodził z pochyłości nonszalanckim krokiem. Kołysał się miękko w rytm muzyki dochodzącej z walkmana, który miał na uszach, a plecak pełen książek nie ciążył mu bardziej niż sportowa torba.

Minął mnie, uśmiechając się uprzejmie, po czym przeszedł przez podwórze i zniknął w domku Nathalie.

Minęło kilka minut, zanim zdołałam się poruszyć. Mój umysł od razu wszystko pojął, ale coś we mnie broniło się, by przyjąć to do wiadomości. W zaakceptowaniu rzeczywistości nie pomagał mi fakt, że kiedy nastolatek mijał mnie łobuzerskim rozkołysanym krokiem - z tą swoją jasną gładką skórą, bujnymi włosami i długimi nogami - poczułam znienacka wielkie pożądanie, jakbym raptownie w nim się zakochała. Miałam ochotę chwycić jego głowę w dłonie i wpić się w jego wargi. Co mi się stało? Dotychczas taka nie byłam... Zwykle było ze mną dokładnie odwrotnie...

Niespodziewane spotkanie syna Samuela - o dwadzieścia lat młodszego odeń sobowtóra - wywołało we mnie miłosną egzaltację. I zamiast poczuć najpierw zazdrość wobec tamtej kobiety, chciałam się rzucić w ramiona dziecka mego męża!

Stanowczo niczego nie robię normalnie.

I dlatego właśnie ta historia musiała się wydarzyć...

Odnalezienie drogi do domu zajęło mi całe godziny. Musiałam pewnie wędrować na oślep, nie wiedząc, co się wokół dzieje, aż – już po nadejściu nocy – natknęłam się na postój taksówek i przypomniało mi się, że powinnam wrócić do siebie. Na szczęście Samuel był na jakimś kongresie, nie musiałam się więc tłumaczyć ani nie miałam możliwości, by zażądać od niego wyjaśnień.

Przez kilka dni ukrywałam moje załamanie pod pretekstem migreny, która przeraziła Samuela. Przyglądałam się jego troskliwym zabiegom nowym okiem: czy on wie, że ja wiem? Z pewnością nie. Gdyby prowadził podwójne życie, nie byłby w stanie okazywać aż takiego poświęcenia.

Zatroskany moim cierpieniem, ograniczył godziny pracy, by codziennie jadać ze mną obiad. Ktoś, kto nie widziałby tego, co ja widziałam, nie mógłby go o nic podejrzewać. Zachowywał się w sposób idealny. Jeżeli odgrywał komedię, był najlepszym aktorem na świecie. Jego czułość wydawała się szczera; nie potrafiłby symulować niepokoju, który zeń emanował, ani udawać ulgi, kiedy powiedziałam mu wreszcie, że już mi lepiej.

Zaczęłam wątpić. Nie w to, że Samuel ma syna, ale że nadal utrzymuje stosunki z tą kobietą. Czy on w ogóle wiedział? Czy wiedział, że dała mu dziecko? Może to był jakiś stary związek, romansik z przeszłości, może ta cała Nathalie na wieść o jego ślubie ze mną ukryła ciążę i zachowała chłopca dla siebie? Ile mógł mieć lat? Z osiemnaście... Czyli to było tuż przed tym, jak zakochaliśmy się od pierwszego wejrzenia... W końcu zdołałam przekonać siebie, że tak właśnie musiało być. Porzucona, urodziła dziecko za jego plecami. Na pewno dlatego przestraszyła się tak na mój widok - opadły ją wyrzuty sumienia. Zresztą naprawdę nie wyglądała na złą kobietę, raczej na kogoś, kogo zżera melancholia.

Po tygodniu rzekomych bólów głowy zadecydowałam, że poczuję się lepiej. Uwolniłam Samuela i siebie od niepokoju o mnie i błagałam, by nadrobił zaległości w pracy; on w zamian wymógł przysięgę, że wezwę go, jeśli poczuję się choć odrobinę gorzej.

W fundacji spędziłam nie więcej niż godzinę - tyle wystarczyło, by stwierdzić, że znakomicie obywa się beze mnie. Nic nikomu nie mówiąc, zstąpiłam do brzucha Paryża i na plac d'Italie udałam się metrem, jakby do tego dziwnego i groźnego miejsca można było się dostać jedynie podziemnym korytarzem.

Nie miałam żadnego planu, nie opracowałam strategii, ale musiałam czymś podeprzeć swe domysły. Dość łatwo odnalazłam nieciekawą ulicę, przy której mieszkał chłopiec wraz ze swoją matką, i usiadłam na pierwszej lepszej ławce, skąd mogłam obserwować bramę.

Na co liczyłam? Że zaczepię sąsiadów, pogadam z mieszkańcami, w ten czy inny sposób zdobędę informacje?

Po dwóch godzinach bezowocnych oczekiwań poczułam, że mam ochotę na papierosa. Tak – to dziwne, gdy chodzi o kobietę, która nie pali. Spodobało mi się to. W zasadzie od pewnego czasu robiłam same niecodzienne rzeczy: śledziłam nieznajomą, korzystałam ze środków publicznego transportu, odkrywałam przeszłość mojego męża, czaiłam się na ławce – teraz nadszedł czas na papierosy. Rozejrzałam się, gdzie można je kupić.

Jaką markę wybrać? Nie miałam w tej materii najmniejszych doświadczeń.

– Dla mnie to samo – poprosiłam sprzedawcę, który obsłużył właśnie stałego klienta.

Podał mi paczkę, oczekując, że jak każdy porządny nałogowiec, świadom ceny owej przyjemności, wręczę mu odliczoną sumę. Zamiast tego podałam mu banknot, który wydał mi się dostatecznie duży, a on, zrzędząc, zwrócił mi kilka innych oraz sporo drobnych.

Odwracając się, wpadłam wprost na niego.

Samuel.

W każdym razie Samuel w swym młodszym wydaniu. Syn Samuela.

Zaśmiał się z mojego zaskoczenia.

- Proszę wybaczyć, przestraszyłem panią.

- Nie, to moja wina. Nie poczułam, że ktoś za mną stoi.

Odsunął się, by mnie przepuścić, i kupił sobie miętowe pastylki. Nie mogłam się powstrzymać od myśli, że jest równie uprzejmy i dobrze wychowany jak ojciec. Poczułam do niego ogromną sympatię; nawet coś więcej - coś, czego nie umiałam określić... Oszołomiona jego zapachem, jego zwierzęcą bliskością, zdecydowałam, że nie mogę pozwolić, aby się oddalił.

Doganiając go na ulicy, zawołałam:

- Proszę pana, proszę pana, przepraszam...

Zbity z tropu, że ktoś w moim wieku (ile lat mi dawał?) zwraca się do niego *per* pan, rozejrzał się niepewny, iż to o niego chodzi, po czym zatrzymał się na przeciwległym chodniku.

Naprędce wymyśliłam sobie kłamstwo.

- Przepraszam, że pana zatrzymuję. Jestem dziennikarką i interesuje mnie dzisiejsza młodzież.

Czy znalazłby pan chwilę, by mi odpowiedzieć na kilka pytań?

– Jak to? Teraz, tutaj?

– Może raczej przy stoliku w kawiarni, gdzie mnie pan wystraszył...

Uśmiechnął się; spodobał mu się pomysł.

– Gdzie pani pisze?

– W „Le Monde".

Mrugnął z aprobatą rzęsami – najwyraźniej spodobała mu się współpraca z renomowaną gazetą.

– Bardzo chętnie. Ale nie wiem, czy jestem najlepszym przykładem dzisiejszej młodzieży. Często czuję się wyobcowany.

– Nie chcę, żeby pan reprezentował dzisiejszą młodzież: chcę, żeby pan reprezentował siebie.

Przekonało go to i podążył za mną.

Przy kawie rozmowa się rozkręciła.

– Nie notuje pani?

– Będę notować, jak zapełni mi się pamięć.

Obrzucił mnie pochlebnym spojrzeniem, nie podejrzewając moich kłamstw.

– Ile pan ma lat?

– Piętnaście.

I nagle moje przypuszczenia legły w gruzach – kiedy się urodził, Samuel i ja byliśmy od dwóch lat po ślubie...

Pod pretekstem braku cukru wstałam, podeszłam do kontuaru, wróciłam i usiadłam.

– Czego oczekuje pan od życia?

– Kocham kino. Chciałbym robić filmy.

– A jacy są pana ulubieni reżyserzy?

Młody człowiek rozgadał się, zagłębiwszy się w pasjonujący go temat, dzięki czemu miałam czas zastanowić się nad następnym pytaniem.

– Czy ta filmowa pasja to rodzinna tradycja?

Wybuchnął śmiechem

– Nie. Na pewno nie.

Wydawał się zaskakująco dumny, że sam sobie zawdzięcza własne zainteresowania, zamiast je odziedziczyć.

– A pańska mama?

– Moją mamę interesują raczej seriale w telewizji; wie pani, rozdęte gnioty, które ciągną się tygodniami, pełne tajemnic rodzinnych, nieślubnych dzieci, zbrodni w afekcie i tak dalej...

– Czym się zajmuje?

– Robi różne rzeczy. Przez dłuższy czas opiekowała się staruszkami. Teraz pracuje w salonie piękności.

– A tato?

Zamknął się w sobie.

– Czy to dotyczy pani tematu?

– Nie mam zamiaru zmuszać pana do jakichkolwiek niedyskrecji. Niech się pan nie obawia, zmienię panu nazwisko i nie napiszę o niczym, co pozwoliłoby zidentyfikować pana albo rodziców.

– Ach tak, wspaniale!

– Interesują mnie pana związki ze światem dorosłych, jak go pan widzi, jak pan widzi w nim swoją przyszłość. Z tej perspektywy istotne są pańskie stosunki z ojcem. Chyba że nie żyje, jeśli tak, proszę mi wybaczyć...

Nagle przebiegła mi przez głowę myśl, że ta cała Nathalie, by wytłumaczyć brak ojca, powiedziała mu, że Samuel odszedł z tego świata. Przestraszyłam się, że zraniłam biednego chłopca.

– Nie, nie umarł, żyje.

– Ach... zniknął?

Zawahał się. Cierpiałam tak samo jak on, czekając, aż odpowie.

– Nie, często go widuję. Z powodów osobistych nie lubi, gdy się o nim mówi.

– Jak ma na imię?

– Samuel.

Czułam się zdruzgotana. Nie wiedziałam, co robić, jak dalej odgrywać swą rolę. By się na moment oddalić, powtórzyłam numer z cukrem – natychmiast, natychmiast muszę coś wymyślić!

Kiedy usiadłam z powrotem, spostrzegłam, że nagle się zmienił. Był rozluźniony, uśmiechał się i najwyraźniej miał ochotę do zwierzeń.

– W końcu, jeśli zmieni pani nazwiska, mogę pani wszystko opowiedzieć.

– Oczywiście – wyjąkałam, starając się opanować drżenie.

Rozsiadł się wygodnie na kanapce.

– Mój ojciec to niezwykły facet. Nie mieszka z nami, mimo że jest bardzo zakochany w mamie od szesnastu lat.

– Dlaczego?

– Bo jest żonaty.

– Ma jakieś inne dzieci?

– Nie.

– To dlaczego się nie rozejdzie?

– Bo ona jest szalona.

– Przepraszam?

– Kompletnie niezrównoważona. Natychmiast by się zabiła. A może i jeszcze gorzej. Jest zdolna do wszystkiego. Myślę, że on się nad nią lituje i jednocześnie się jej boi. Za to jest wspaniały dla nas i jakoś udało mi się przekonać mamę, moje siostry i mnie, że tak już musi być.

– Ach, ma pan siostry?

– Tak, dwie małe siostrzyczki. Dziesięć i dwanaście lat.

Choć mówił dalej, huczało mi w głowie tak, że nie rozumiałam ani słowa. Nie uchwyciłam nic z tego, co powiedział. Powinno mnie to interesować w najwyższym stopniu, ale wciąż wracałam do tego, czego właśnie się dowiedziałam: Samuel miał drugi dom, drugą – kompletną – rodzinę, a ze mną pozostawał pod pretekstem, że jestem wariatką.

Nie wiem, czy udało mi się wiarygodnie usprawiedliwić pospieszne odejście, wiem tylko, że wezwałam taksówkę i ledwie skryłam się za szybami samochodu, zalałam się łzami.

Kilka następnych tygodni było najgorszym okresem w całym moim życiu.

Straciłam punkty odniesienia.

Samuel wydawał mi się całkowicie obcy. To, co myślałam, że o nim wiem, cały mój szacunek, zaufanie, na którym opierała się moja miłość – to wszystko zniknęło. Prowadził podwójne życie, kochał inną kobietę w innej dzielnicy Paryża i miał z nią troje dzieci.

Najbardziej bolały mnie dzieci. W tej sprawie nic nie byłam w stanie zrobić. Nathalie była rywalką, z którą mogłam walczyć – na pewnych polach przynajmniej... Ale dzieci...

Płakałam całymi dniami, nie potrafiąc tego ukryć przed Samuelem. Po nieudanych próbach nawiązania ze mną rozmowy błagał, bym skontaktowała się z moim psychiatrą.

– Mój psychiatra? Dlaczego m ó j psychiatra?

– Bo się z nim spotykałaś...

– Dlaczego insynuujesz, że to mój psychiatra? Czy on zajmował się tylko mną?!

– Przepraszam, że powiedziałem „twój psychiatra". Powinienem był powiedzieć „nasz psychiatra". Razem chodziliśmy do niego przez lata.

– Tak! Temu to właśnie służyło.

– To było bardzo potrzebne, Isabelle. Dzięki temu mogliśmy zaakceptować siebie takimi, jacy jesteśmy. I pogodzić się z losem. Zamówię ci wizytę.

– Dlaczego chcesz, żebym poszła do psychiatry? Nie jestem wariatką! – wrzasnęłam.

– Nie, nie jesteś wariatką. Ale kiedy człowieka bolą zęby, idzie do dentysty, a kiedy dolega dusza – do psychiatry. A teraz mi zaufaj, bo nie chcę cię zostawić w takim stanie.

– Co? Zamierzasz mnie opuścić?

– Co ty wygadujesz? Zapewniam cię, że wręcz przeciwnie...

– „Zostawić". Powiedziałeś „zostawić"!

– Isabelle, naprawdę jesteś na skraju wyczerpania nerwowego... I mam wrażenie, że raczej cię rozdrażniam, niż uspokajam.

– Miło, że przynajmniej to dostrzegasz!

– Masz coś do mnie? Powiedz. Po prostu powiedz, żebyśmy wreszcie z tym skończyli.

– „Żebyśmy z tym skończyli?". Sam widzisz, chcesz mnie zostawić!...

Objął mnie i, mimo że się broniłam, przytulił czule do siebie.

– Kocham cię, słyszysz? I nie chcę cię opuścić. Gdybym chciał, zrobiłbym to bardzo dawno temu. Kiedy...

– Wiem. Nie ma o czym mówić.

– Dobrze by nam zrobiło porozmawiać o tym od czasu do czasu.

– Nie. Nie ma po co. Tabu. Teren zakazany. Koniec, kropka.

Westchnął.

Przytulona do jego piersi, w jego ramionach, ukołysana ciepłym głosem, zdołałam się jakoś uspokoić. Kiedy tylko sobie poszedł, znów zaczęłam kombinować. Czy Samuel trzymał się mnie dla pieniędzy? Każdy z zewnątrz by to potwierdził – był tylko skromnym doradcą w wielkim wydawnictwie, a ja odziedziczyłam kilka milionów i sporo nieruchomości. Ale z drugiej strony dobrze wiedziałam, że ma skrupuły, by korzystać z mego kapitału – nie rzucił pracy po naszym ślubie, bo nie chciał się ode mnie finansowo uzależnić, a poza tym pragnął kupować mi prezenty z „własnych pieniędzy". Odrzucił moje próby i uparł się, by podpisać przy ślubie kontrakt ustanawiający rozdział majątkowy. Całkowite przeciwieństwo chciwego i interesownego męża. Dlaczego więc wciąż był ze mną, jeśli miał inną kobietę i do tego dzieci? Może nie kochał jej dostatecznie, by dzielić z nią życie? Może i tak... Nie odważył się jej o tym powiedzieć... Ona tak banalnie wygląda... Przykleił się do mnie, żeby nie wiązać się z manikiurzystką... W gruncie rzeczy wolał moje towarzystwo... Ale dzieci? Znałam dobrze Samuela: jak mógł zwalczyć w sobie poczucie obowiązku i pragnienie, aby z nimi zamieszkać? By go od tego odwieść, musiała istnieć jakaś naprawdę potężna przyczyna... Co to jest? Ja? Ja, która nie mogłam mu dać potomstwa?... A może po prostu tchórzostwo? To tchórzostwo, które moje przyjaciółki uważają za integralną cechę każdego mężczyzny... Późnym popołudniem, nie mogąc się zdecydować na żadną z tych możliwości, uznałam w końcu, że jego syn miał rację: widocznie popadłam w obłęd.

Mój stan się pogarszał. Z Samuelem też było coraz gorzej. Jakaś osobliwa empatia sprawiła, że pod pełnymi zmęczenia oczami pojawiły mu się ciemne kręgi, troska wyżłobiła ślady na twarzy i słyszałam, jak ciężko dyszy, wspinając się na schody naszego pałacyku, by przyjść do mojego pokoju, którego już w ogóle nie opuszczałam.

Prosił mnie, żebym mu szczerze wyznała, co mnie gnębi. Byłoby to oczywiście najlepsze wyjście, ale wzdragałam się przed tym. Od dzieciństwa mam już taki dar na opak, iż zawsze unikam dobrych rozwiązań. Nie ma wątpliwości, że gdybym mu powiedziała, poprosiła go, żeby mi o wszystkim opowiedział, uniknęlibyśmy katastrofy...

Zraniona, otępiała, szalona, zamknęłam się w sobie, traktując Samuela jak wroga. Z którejkolwiek strony spoglądałam na niego, jawił mi się jako zdrajca - jeśli to nie ze mnie sobie drwił, oszukiwał kochankę i dzieci. Panował nad zbyt wieloma rzeczami czy nie panował nad niczym? Miałam przed sobą faceta, który nie umiał się zdecydować, czy najbardziej cynicznego człowieka na ziemi? Kim właściwie był?

Zadręczałam się tymi rozmyślaniami. Pogubiłam się do końca, nie dbałam o jedzenie i picie; byłam tak osłabiona, że zapisano mi serię zastrzyków wzmacniających, a wreszcie zaaplikowano kroplówki, by zwalczyć odwodnienie.

Samuel wcale nie wyglądał lepiej - zupełnie przestał dbać o siebie, bo byłam cierpiąca. Rozkoszując się jego przerażeniem niczym stara kochanka, obgryzająca ostatnią kostkę miłości, nie wpadłam na pomysł, by przezwyciężyć swój egoizm i sprawić, by zadbano o mego męża.

Wizytę złożył mi, niewątpliwie sprowadzony przez Samuela, mój dawny psychiatra doktor Feldenheim.

Choć miałam wielką ochotę obnażyć przed nim swe myśli, opierałam się przez trzy spotkania.

Za czwartym razem, zmęczona krążeniem wokół tematu, opowiedziałam mu o moim odkryciu: kochanka, dzieci, drugi dom...

– No i w końcu doszliśmy do tego – skonkludował. – Był już najwyższy czas, by pani to z siebie wydusiła.

– Ach tak? Tak pan uważa? To zaspokaja pańską ciekawość, doktorze. Dla mnie nie zmienia niczego.

– Droga Isabelle, muszę panią zaskoczyć, ryzykując, że stracę prawo wykonywania zawodu, łamiąc tajemnicę zawodową: wiem o tym wszystkim od lat.

– Co proszę?

– Od czasu narodzin Floriana.

– Florian? Kto to jest Florian?

– Młody człowiek, którego pani poznała. Syn Samuela.

Słysząc, jak mówi poufale o tych, którzy zniszczyli moje małżeńskie szczęście, poczułam, że narasta we mnie wściekłość.

– To Samuel panu o tym powiedział?

– Tak. Kiedy urodził mu się syn. Myślę, że tajemnica była zbyt ciężka dla niego.

– Potwór!

– Nie tak prędko, Isabelle. Czy zdaje pani sobie sprawę, w jak pokręconej sytuacji postawiło Samuela życie?

– Pan chyba żartuje? Ma wszystko, czego potrzeba do szczęścia.

– Isabelle, nie ze mną... Proszę nie zapominać, że ja wiem. Wiem, że jest pani dotknięta tym rzadkim schorzeniem...

– Proszę milczeć!

– Nie. Milczenie rodzi więcej problemów niż rozwiązań.

– W każdym razie nikt i tak nie wie, co to jest.

– Kobieca impotencja? Samuel wie. Ożenił się z piękną, dowcipną, pociągającą kobietą, którą uwielbiał, i nigdy nie udało mu się z nią kochać. Nigdy w nią nie wszedł. Nigdy nie przeżywał razem z nią orgazmu. Pani ciało, Isabelle, jest zamknięte, pomimo niezliczonych prób, pomimo rozmaitych terapii. Czy pomyślała pani o stresie, jaki to u niego od czasu do czasu powoduje?

– Od czasu do czasu? Bez przerwy, niech pan sobie wyobrazi! Bez przerwy! I choćbym się oskarżała i nienawidziła, to i tak niczego nie zmieni. Czasem wolałabym, żeby mnie porzucił, gdyśmy to odkryli siedemnaście lat temu!

– On jednak został. Wie pani dlaczego?

– Tak. Dla moich milionów!

– Isabelle, nie ze mną...

– Bo jestem obłąkana!

– Isabelle, proszę, nie ze mną! Dlaczego?

– Z litości.

– Nie. Bo panią kocha.

Ogarnęła mnie wewnętrzna cisza. Przykryła gruba warstwa śniegu.

– Tak, kocha panią. Choć jest mężczyzną takim jak inni, normalnym mężczyzną, który ma naturalną potrzebę, by wejść w ciało kobiety i posiadać dzieci, wciąż panią kocha. Nie zdecydował się na rozstanie z panią. Nigdy zresztą tego nie zapragnął. Z wiadomych powodów żył jak święty. To tłumaczy, dlaczego chciał spróbować pozamałżeńskich doświadczeń. I pewnego dnia spotkał tamtą kobietę, Nathalie. Myślał, że będąc z nią w związku, a potem mając dziecko, zdecyduje się, znajdzie siłę, by odejść od pani. Nic z tego nie wyszło. Musiał – nie potrafił inaczej – żyć z nową rodziną na odległość. Dzieci z pewnością nie poznały prawdy, ale Nathalie wie o wszystkim i zgadza się na to. I tak od szesnastu lat nic już dla Samuela nie jest proste. Zarzyna się w pracy, by zdobyć pieniądze dla obu domów – dla pani na prezenty, a dla nich na życie. Zamęcza się, by zawsze być do dyspozycji i otaczać troską obie strony. W ogóle się nie zajmuje sobą – wyłącznie panią, wyłącznie tamtymi. A do tego zżerają go wyrzuty sumienia. Czuje się winny, że nie mieszka z Nathalie i dziećmi – ma poczucie winy, że od tak dawna panią okłamuje.

– Cóż, niech wybiera! Niech to wreszcie przetnie! Niech do nich dołączy! Ja się na pewno nie sprzeciwię.

– Isabelle, on nigdy nie będzie mógł tego zrobić.

– Niby dlaczego?

– Kocha panią.

– Samuel?

– Kocha panią szaleńczo, bezgranicznie, ślepo. On wciąż jest w pani zakochany.

– Samuel...

– Kocha panią ponad wszystko...

Powiedziawszy to, doktor Feldenheim podniósł się i wyszedł.

Na nowo wypełniło mnie poczucie szczęścia; nie walczyłam już przeciw sobie ani tamtemu obcemu Samuelowi. On mnie kochał. Kochał mnie tak bardzo, że ukrył przede mną swe podwójne życie i zmusił do milczenia tamtą kobietę, która otworzyła przed nim swe ciało i dała mu dzieci. Samuel...

Czekałam na niego w uniesieniu. Chciałam jak najprędzej ująć jego głowę w dłonie, pocałować go w czoło i podziękować mu za niewzruszone uczucie. Wyznam mu moją miłość, moją niegodziwą miłość, zdolną do zwątpień, wściekłości, zazdrości – moją potworną, brudną miłość, która nagle stała się czysta. Dowie się, że go rozumiem, że nie powinien nic przede mną ukrywać, że chcę część majątku przeznaczyć dla jego rodziny. Bo jeśli była jego, była także moja. Udowodnię, że potrafię uwolnić się od burżuazyjnych przesądów. Jak on – z miłości.

O siódmej wpadła Stacy, żeby sprawdzić, jak się miewam. Odetchnęła, widząc, że jestem uśmiechnięta i spokojna.

– Cieszę się, że doszłaś do siebie po tygodniach szlochów. Zmieniłaś się nie do poznania!

– To nie jest zasługa Kliniki Włosa – powiedziałam, śmiejąc się. – To dlatego że poślubiłam wspaniałego chłopaka.

– Samuela? A która kobieta by go nie chciała?

– Mam szczęście, nie?

– Ty? Wręcz nieprzyzwoite. Czasami nawet niełatwo być twoją przyjaciółką: masz wszystko, czego potrzeba do szczęścia.

Stacy wyszła o ósmej. Zdecydowałam skończyć z apatią i zeszłam na dół, by pomóc kucharce przy kolacji.

O dziewiątej Samuela wciąż nie było, ale postanowiłam się nie niepokoić.

O dziesiątej umierałam z nerwów. Ze dwadzieścia razy nagrałam się w poczcie głosowej jego komórki, która milczała jak zaklęta.

O jedenastej ogarnęło mnie takie przerażenie, że wrzuciłam coś na siebie, wyprowadziłam samochód i bez zastanowienia pojechałam w stronę placu d'Italie.

W Butte-aux-Cailles zobaczyłam szeroko otwartą bramę i ludzi kręcących się wokół szarego domku.

W pośpiechu weszłam przez otwarte drzwi, przebiegłam przez sień w stronę światła i zobaczyłam siedzącą w fotelu załamaną Nathalie, w otoczeniu dzieci i sąsiadów.

- Gdzie jest Samuel? - zapytałam.

Nathalie podniosła głowę. Rozpoznała mnie - jej czarne oczy przebiegł błysk paniki.

- Błagam! - powtarzałam. - Gdzie jest Samuel?

- Nie żyje. Umarł niedawno. O szóstej. Miał zawał, kiedy grał z Florianem w tenisa.

Dlaczego nigdy nie mogę zachować się normalnie? Zamiast zemdleć, wybuchnąć łzami, zacząć wyć, odwróciłam się w stronę Floriana, zobaczyłam, że płacze, i przycisnęłam go mocno do piersi, aby go pocieszyć.

Bosa księżniczka

Nie mógł się doczekać, kiedy znów ją zobaczy.

Gdy wiozący nieliczną trupę aktorów autobus zaczął wspinać się krętą drogą, prowadzącą do sycylijskiej wioski, nie umiał już myśleć o niczym innym. Może podpisał kontrakt na to *tournée* tylko po to, by tu powrócić? Bo niby czemu miałby go zaakceptować? Sztuka wcale mu się nie podobała, a jego rola tym bardziej – i za tę całą mękę zapłacą mu żałosne pieniądze. Jasne że właściwie nie miał wyboru: albo przyjmie taki angaż, albo na zawsze pożegna się z aktorską karierą i zajmie się „prawdziwym zawodem", jak nazywała to jego rodzina. Minęły lata od czasu, kiedy mógł przebierać w rolach. Cieszył się wzięciem zaledwie jeden czy dwa sezony – i to na samym początku, nim się zorientowano, że choć prezentuje się wspaniale, gra jak stołowa noga.

Właśnie wtedy ją spotkał – tę tajemniczą kobietę. Tu, w miasteczku, które jak korona wieńczyło szczyt skalistej góry. Czy się zmieniła? Musiała się zmienić. Ale pewnie niewiele.

Fabio zresztą też niezbyt się postarzał. Wyglądał wciąż jak młody amant, grający głównych bohaterów, choć wcale nie był już młody, nie mówiąc o obsadach... Nie, przestał dostawać dobre role nie dlatego, że się posunął - nadal podobał się kobietom - po prostu brak mu było talentu na miarę aparycji. Nie wstydził się o tym mówić, także kolegom czy reżyserom, uważał bowiem, że talent i wygląd to dary, z którymi przychodzi się na świat. Jeden otrzymał, drugiego mu poskąpiono. No i co z tego? Nie każdy jest stworzony do wielkiej kariery. Jemu wystarcza malutka; zupełnie mu odpowiada, bo to, co kochał naprawdę, to nie była gra - przecież gdyby nad sobą popracował, byłby lepszym aktorem - chodziło o sposób życia. Podróże, koleżeństwo, imprezy, oklaski, knajpy, dziewczyny na jedną noc... Tak, właśnie takie życie, byle nie tamto, jakie miało mu być pisane. W tej sprawie można było mu zaufać: zrobi wszystko, dopóki się da, by nie wrócić na swe miejsce w rodzinnym gospodarstwie.

„Potomek chłopów o urodzie księcia" - taki tytuł nosił jeden z artykułów, jakie mu poświęcono w początkach kariery, kiedy telewizyjne magazyny rozpisywały się o serialu, którym przez jedno lato pasjonowały się całe Włochy. Książę Leocadio - jego wielka rola. Zawdzięczał jej tysiące listów od kobiet; bywały prowokacyjne, niektóre pochlebcze, inne znów intryganckie, a wszystkie miłosne. Dzięki *Księciu Leocadio* zagrał rolę ognistego miliardera we francusko-niemiecko-włoskim serialu. I to za jej przyczyną znalazł się na bruku. Nie tylko wyczerpał się już efekt jego świeżej urody, ale złożona, dwuznaczna, targana sprzecznymi emocjami postać kolosa, w którego się wcielił, wymagała prawdziwego aktorstwa. Podczas kręcenia ochrzczono go „manekinem" i przezwisko to przejęła prasa, komentując jego żałosną grę. Od tamtej pory stanął przed kamerą jedynie dwukrotnie - raz w Niemczech i raz we Francji. W tych krajach *dubbing* podłożony przez fachowych aktorów pod kwestie miliardera pozwolił zachować nieco złudzeń co do umiejętności Fabia. A potem już nic. Nic znaczącego. Ostatniej zimy, gdy nadawano o czwartej rano na jakimś nostalgicznym kanale telewizji kablowej *Księcia Leocadio*, z przerażeniem obejrzał siebie na nowo. Cała historia wydała mu się straszna, a jego partnerki, podobnie jak on, kompletnie bez wyrazu, zniknęły z horyzontu. Najgorsze były jego obcisłe kostiumy, cudaczne buty na obcasach i obszerny plisowany strój, w którym wyglądał jak aktorka z amerykańskich seriali klasy B. I do tego ten opadający kosmyk, zasłaniający prawe oko, co odbierało jego regularnym rysom resztki ekspresji...

Krótko mówiąc, jedynie młodość usprawiedliwiała jego obecność na ekranie.

Za zakrętem pojawiła się średniowieczna cytadela panująca dumnie nad okolicą; jej wysmukłe mury i strzeliste półkoliste wieże wzbudzały respekt. Czy wciąż jeszcze tam mieszka? Jak ją odnaleźć? - nie znał nawet jej imienia. „Proszę mówić do mnie Donatella" - wyszeptała wtedy. Wówczas uznał, że to jej prawdziwe imię, ale po kilku latach, po zastanowieniu, zdał sobie sprawę, że było zmyślone.

Dlaczego tamta przygoda zrobiła na nim tak wielkie wrażenie? Dlaczego wciąż marzył o niej po piętnastu latach, choć od tamtej pory miał dziesiątki kobiet?

Z pewnością dlatego że kryła w sobie tajemnicę - i tajemnicza pozostała. Wielbimy kobiety, bo pojawiają się owiane tajemnicą, a gdy ona blednie, przestają się nam podobać. Kobiety myślą, że mężczyzn interesuje tylko to, co kryje się pomiędzy ich udami? Pomyłka! Bardziej od seksu mężczyzn pociąga romantyzm. Dowód? Jeśli mężczyzna odchodzi, to zwykle winne są nie noce, ale dni. Dni, pełne kłótni w promieniach słońca, odbierają ukochanej znacznie więcej blasku niż noce, podczas których kochankowie stapiają się w jedno. Fabio pragnął często oświadczyć przedstawicielkom kobiecego rodu: zostawcie nam noce, a sobie weźcie dni – wtedy dłużej zdołacie zachować mężczyznę. Powstrzymywał się troszkę przez ostrożność, by ich nie wypłoszyć, ale głównie dlatego że był przekonany, iż nie zrozumieją. Dla nich byłby to tylko kolejny dowód na to, iż mężczyźni myślą jedynie o łóżku, a on chciałby przecież, by wreszcie pojęły, że najwięksi podrywacze – jak na przykład on – to po prostu mistycy w pogoni za tajemnicą i zawsze w kobiecej istocie przedkładać będą wszystko, czego im skąpi, nad to, co im hojnie udostępnia.

Donatella objawiła mu się w pewien majowy wieczór, po przedstawieniu, za kulisami miejskiego teatru. Od triumfalnego debiutu Fabia w telewizji minęły dwa lata i właśnie rozpoczynał się jego upadek. W tym czasie nie chciano go już na ekranie, ale ze względu na niedużą co prawda, ale jednak pewną popularność zaproponowano mu wielką teatralną rolę: wcielił się w Cyda Corneille'a – prawdziwy maraton rymowanych tyrad, które wygłaszał sumiennie, nic z nich nie pojmując. Kiedy schodził ze sceny, czuł się szczęśliwy bynajmniej nie dlatego, że zagrał wspaniale, ale z tej racji, iż zdołał dobrnąć do końca bez pomyłki niczym biegacz, który pokonał nietypowy dlań dystans. Choć mniej krytyczny wówczas wobec siebie niż dziś, wyczuwał jednak, że publiczność ceni przede wszystkim jego piękne ciało, w tym głównie nogi, których smukłość podkreślały obcisłe rajtuzy.

Przed spektaklem Fabio zastał pod drzwiami garderoby ogromny wiklinowy kosz, pełen żółtych i brunatnych orchidei. Nie było przy nim żadnej wizytówki. Podczas przedstawienia, gdy ktoś inny wypowiadał kwestię, nie umiał się powstrzymać, by nie szukać na widowni osoby, która przysłała mu tak wspaniały dar. Ale oślepiający blask reflektorów nie pozwalał przyjrzeć się pogrążonej w półmroku publiczności. A poza tym była ta pieprzona sztuka...

Kiedy umilkły oklaski, Fabio pobiegł do garderoby, wziął szybki prysznic i skropił się wodą kolońską, spodziewając się, że ofiarodawca pokaże się osobiście.

Donatella czekała w korytarzu za kulisami.

Zobaczył bardzo młodą kobietę o długich włosach, ujętych koroną z warkoczy, która z wdziękiem wyciągnęła do niego rękę.

Wciąż jeszcze przesiąknięty rycerskim tonem roli, spontanicznie złożył na jej dłoni pocałunek, co nigdy dotąd mu się nie zdarzało.

– To pani? – zapytał, mając na myśli orchidee.

– To ja – potwierdziła, przymykając ciężkie powieki o rzęsach pobłyskujących czernią.

Jej nogi i ramiona wymykały się dyskretnie spod sukni uszytej z lejącego jedwabiu czy może muślinu - nie potrafiłby powiedzieć. W każdym razie z czegoś lekkiego, niematerialnego, orientalnego i na pewno bardzo kosztownego - dobry wybór dla kobiety o giętkim delikatnym ciele, która sama niewiele waży. Na białym ramieniu nosiła bransoletę taką, jakie niegdyś nosiły wschodnie niewolnice, choć określenie „bransoleta niewolnicy" zupełnie w tym przypadku nie pasowało. Patrząc na Donatellę, miało się wrażenie, że jest panią niewolników - tą, która czyni ludzi swoimi sługami. Niczym Kleopatra... Tak, Kleopatra z sycylijskiej góry, od której promieniuje władcza siła, zmysłowość, nieśmiałość i dzikość.

- Chciałabym zaprosić pana na kolację. Co pan na to?

Czy trzeba odpowiadać na takie pytanie? Czy jej wtedy odpowiedział?

Fabio pamiętał tylko, że podał jej ramię, po czym wyszli razem.

Kiedy znaleźli się na brukowanych ulicach historycznego miasteczka, skąpanych w zamglonym świetle księżyca, spostrzegł, że Donatella jest bosa. Zauważyła jego zdziwienie i powiedziała, uprzedzając pytanie:

- Tak, dzięki temu czuję się bardziej swobodna.

Zabrzmiało to tak naturalnie, że nic nie odrzekł.

To był cudowny wieczorny spacer, gdy pośród chłodnych murów unosiły się aromaty jaśminu, fenkułu i anyżku. Idąc pod ramię, wspięli się w ciszy na szczyt cytadeli. Znajdował się tam pięciogwiazdkowy hotel-oberża – szczyt wszelkiego luksusu.

Kiedy skierowała się ku drzwiom, wykonał gest, by ją powstrzymać; z całą pewnością nie wystarczyłoby mu pieniędzy, by zaprosić tam swą zdobycz.

Donatella odgadła chyba jego myśli, bo zapewniła:

– Proszę się nie niepokoić. Są uprzedzeni. Czekają na nas.

I rzeczywiście, kiedy weszli do środka, pokłonił im się stojący szpalerem personel. Przechodząc środkiem owej alejki u boku zachwycającej kobiety, Fabio miał wrażenie, iż prowadzi pannę młodą do ołtarza.

Choć byli jedynymi gośćmi wykwintnej restauracji, posadzono ich w osobnym gabinecie, by zapewnić im poczucie pewnej intymności.

Maître d'hôtel zwracał się do młodej pani z nadmierną wręcz uprzejmością, tytułując ją princessą. Podobnie *sommelier* oraz kucharz. Fabio doszedł do wniosku, że musi to być jakaś przebywająca właśnie w okolicy „książęca wysokość" i że mając na względzie jej pozycję, nikt nie zwraca uwagi na jej ekscentryczne zachowanie i nie ma nic przeciwko temu, by zjawiała się boso na kolacji.

Podano kawior i wyborne wina, a potem pojawiły się kolejne dania, odkrywcze, smakowite, niezwykłe. Rozmowa obojga biesiadników była wielce poetyczna - mówili o sztuce Corneille'a, o teatrze, kinie, miłości, uczuciach. Fabio pojął prędko, że powinien unikać pytań osobistych, księżniczka bowiem zamykała się w sobie, kiedy tylko próbował się czegoś o niej dowiedzieć. Powiedziała mu za to, że życzyła sobie zjeść z nim kolację, bo uwielbia oba seriale, dzięki którym zyskał sławę. Ku swemu wielkiemu zdumieniu skonstatował, że nie tylko on jest pod wielkim wrażeniem księżniczki - ona także darzyła zainteresowaniem Fabia, owianego nimbem romantycznych bohaterów, w których się wcielił.

Przy deserze pozwolił sobie ująć jej dłoń; nie broniła się, kiedy posuwał się dalej. Gdy z delikatnością godną swych bohaterów, co było dla niego czymś nowym, wyznał, że marzy tylko o tym, by móc pochwycić ją w ramiona, przebiegł ją dreszcz, opuściła powieki, zadrżała znów i wyszeptała jednym tchem:

- Chodź ze mną.

Skierowali się w stronę wielkich schodów wiodących do pokojów, a potem wprowadziła go do najbardziej luksusowego apartamentu, jaki dane mu było w życiu oglądać - cały w zdobnych haftami aksamitach i jedwabiach, pełen był perskich dywanów, tac z kości słoniowej, krzeseł wykładanych markieterią, kryształowych karafek i srebrnych pucharów.

Zamknęła drzwi i zdejmując z szyi zwiewny fular, dała mu do zrozumienia, że pragnie mu się oddać.

Czy to z powodu godnych wschodniej baśni dekoracji, czy też obfitości podniecających potraw i wina - a może po prostu niezwykłości Donatelli, jednocześnie tak dzikiej i wyrafinowanej, tajemniczej i zwierzęcej - w każdym razie Fabio przeżył niepowtarzalną, najpiękniejszą w całym swym życiu noc miłosną. Mógł to potwierdzić teraz, po piętnastu latach.

Nazajutrz słońce wyrwało go z lekkiego snu kochanka i powróciła rzeczywistość. Grali po południu oraz wieczorem w miejscu oddalonym o osiemdziesiąt kilometrów; zbiórkę wyznaczono o wpół do dziewiątej w hotelowym hallu - kierownik trupy znów się do niego przyczepi i każe mu zapłacić karę. Tak kończą się sny!

Ubierając się pospiesznie, uważał, by nie narobić hałasu. Tylko w ten sposób mógł odrobinę przedłużyć czarowną baśń.

Nim opuścił pokój, zbliżył się do Donatelli, porzuconej w wielkim łożu z baldachimem. Spała jeszcze, blada, delikatna, tak niezwykle szczupła, a po jej wargach błąkał się cień uśmiechu. Fabio nie miał serca, by wyrwać ją ze snu - tylko w duchu powiedział jej do widzenia. Pamiętał, iż pomyślał wtedy, że ją kocha i że tak już na zawsze pozostanie. A potem odszedł.

Autobus z zespołem aktorskim Zielonych Ślimaków mijał właśnie bramę cytadeli, kierując się w stronę miejskiego teatru; kierownik przepchnął się naprzód i z ponurą miną zawiadomił ich, że sprzedano zaledwie jedną trzecią sali. Wyglądało na to, że właśnie do nich ma o to pretensję.

Po piętnastu latach okazało się prawdą to, co pomyślał wtedy, gdy rozstawał się z Donatellą... Kochał ją... Tak, nadal ją kochał... Może nawet bardziej.

Tamtej historii brakowało zakończenia. I z tej zapewne przyczyny wciąż jeszcze nie umarła.

Zbiegając z cytadeli, Fabio zdążył do hotelu na czas. Zebrał bagaże, do których inspicjent dołączył orchidee z jego garderoby, wskoczył do samochodu (jako odtwórca głównej roli miał wtedy prawo do limuzyny z szoferem - nie zesłano go jeszcze, jak dziś, do autobusu, do reszty zespołu) i natychmiast zasnął. Gdy tylko się zbudził, obiecał sobie, że zadzwoni do oberży, ale w nowym miejscu trzeba było zrobić próby, wejść i zejść ze sceny, potem zagrać, potem jeszcze raz...

Wciąż odkładał telefon na później, a potem zabrakło mu śmiałości, aby się odezwać. Codzienność wzięła górę – wydawało mu się, że to był tylko sen, a przede wszystkim zrozumiał, przetrząsając pamięć, iż Donatella kilka razy dała mu do zrozumienia, że to ich jedyna noc. Cudowna noc bez przyszłości zarówno dla niego, jak i dla niej.

Po co zawracać jej głowę? Była bogata, wysoko urodzona, na pewno ma już męża. Zdecydował, że pogodzi się z miejscem, jakie mu wyznaczyła – był tylko kaprysem jednej nocy. Bawiło go, iż stał się mężczyzną przedmiotem, zabawką w jej rękach; sprawiało mu wielką przyjemność, że był wcieleniem jej erotycznych marzeń; uwiodła go tak delikatnie, z taką elegancją...

Silnik zamilkł; dotarli na miejsce. Zespół Zielonych Ślimaków miał dwie godziny wolnego przed spotkaniem w teatrze.

Fabio zostawił bagaże w ciasnym pokoiku i skierował się w stronę oberży.

Wspinając się wąskimi uliczkami, rozmyślał nad własną głupotą: skąd mógł czerpać nadzieję? Jak mógł sobie wyobrażać, że znów ją zobaczy? Zatrzymała się wówczas w hotelu, a to oznaczało, że nie pochodzi stąd; nie istniał żaden powód, by właśnie dziś znalazła się w miasteczku.

Tak naprawdę, nie podążam na miłosne spotkanie – pomyślał z goryczą. – Ani też nie prowadzę śledztwa. Odbywam pielgrzymkę – wędruję przez wspomnienia; wspomnienia z czasów gdy byłem młody, sławny i piękny. Czasów gdy potrafiłem wzbudzić pożądanie w księżniczce.

Kiedy dotarł pod oberżę, wywarła ona na nim jeszcze większe wrażenie niż wówczas. Teraz potrafił lepiej oceniać materialną wartość rzeczy - trzeba było naprawdę mieć mnóstwo pieniędzy, by się tu zatrzymać.

Zawahał się, nim otworzył drzwi.

Wyproszą mnie. Na pierwszy rzut oka widać, że nie mam czym zapłacić nawet za koktajl przy barze.

Aby dodać sobie odwagi, pomyślał o tym, że jest aktorem i całkiem nieźle się prezentuje; postanowił wejść w rolę i przekroczył próg.

Zignorował młodych recepcjonistów i podszedł od razu do liczącego sobie z dobrą sześćdziesiątkę portiera, który zapewne nie tylko był tu już przed piętnastu laty, ale też posiadał znakomitą pamięć wszelkich odźwiernych.

- Pan wybaczy, jestem Fabio Fabbri, aktor. Odwiedziłem to miejsce piętnaście lat temu. Czy pan tu już wówczas pracował?

- Tak, proszę pana. Jako windziarz. Czym mogę panu służyć?

- Cóż, była tu wtedy młoda kobieta, bardzo piękna, z wielkiej arystokracji...

- Wiele osób krwi królewskiej zatrzymuje się u nas, proszę pana.

– Chciała, by zwać ją Donatellą, choć wątpię, aby... Personel tytułował ją princessą.

Człowiek z pozłacanymi kluczami zaczął szukać w pamięci.

– Zastanówmy się, księżniczka Donatella, księżniczka Donatella... Nie, przykro mi bardzo, ale nie przypominam sobie...

– Ależ tak, musi pan ją pamiętać. Poza tym że była bardzo młoda i bardzo piękna, zachowywała się dość ekscentrycznie. Na przykład chodziła boso.

Uderzony owym szczegółem portier zaczął przetrząsać inny dział swoich wspomnień i nagle wykrzyknął:

– Mam! Rosa! Chodzi o Rosę.

– Rosę?

– Rosę Lombardi!

– Rosa Lombardi... Słusznie się więc domyślałem, że Donatella była imieniem na jedną noc. Wie pan coś o niej? Czy wciąż tutaj bywa? Wyznam, że tej kobiety nie sposób zapomnieć...

Starszy mężczyzna westchnął i oparł się konfidencjonalnie o kontuar.

– Tak, oczywiście, pamiętam Rosę... Pracowała tu jako kelnerka. Córka pomywacza Pepina Lombardiego... Nieszczęsna, była taka młodziutka, gdy okazało się, że ma białaczkę... Wie pan, to choroba krwi... Bardzo ją wszyscy lubiliśmy. Wzbudzała w nas taką litość, że staraliśmy się spełniać wszelkie jej życzenia, zanim trafiła do szpitala, by tam umrzeć. Biedaczka, miała, ile?, osiemnaście lat?... Od dziecka biegała wszędzie na bosaka. Nazywaliśmy ją dla żartu bosą księżniczką...

Odette Jakkażda

Uspokój się, Odette, uspokój się!

Była tak ożywiona, tak pełna niecierpliwości i entuzjazmu, że zdawało się jej, iż ulatuje, odrywa się od brukselskich bruków, wymyka z korytarzy fasad, unosi nad dachami, by dołączyć do gołębi krążących po niebie. Każdy, kto widział jej lekką sylwetkę, zbiegającą z Mont des Arts, czuł, że ta kobieta, z piórkiem zatkniętym w pukiel włosów, ma w sobie coś z ptaka...

Zobaczy go! Naprawdę go zobaczy... Będzie tuż obok niego... Może go nawet dotknie, jeśli zechce podać jej rękę....

Uspokój się, Odette, uspokój się!

Choć miała już ponad czterdziestkę, jej serce popadło w takie uniesienie, jakby była nastolatką.

Przed każdą zebrą, kiedy musiała odczekać swoje na chodniku, czuła mrowienie w udach i zdawało jej się, że nie zdoła utrzymać stóp w miejscu – chciałaby umieć przeskoczyć ponad samochodami.

Kiedy dotarła do księgarni, zobaczyła kolejkę jak za wielkich dni i dowiedziała się, że będzie musiała czekać czterdzieści pięć minut, zanim przed nim stanie.

Nabyła jego najnowszą książkę - wzniesiono z niej piramidę, piękną jak drzewko w Boże Narodzenie - i zaczęła gawędzić z sąsiadkami. Choć wszystkie lubiły czytać Balthazara Balsana, żadna nie okazała się równie zażartą, skrupulatną i namiętną jak Odette czytelniczką.

- Bo ja przeczytałam wszystko, co napisał. Naprawdę wszystko! I wszystko mi się podobało - powiedziała, by usprawiedliwić swą wiedzę.

Czuła się niezmiernie dumna, gdy odkryła, że najlepiej z całego towarzystwa zna autora i jego dzieło. Ponieważ miała skromne pochodzenie, ponieważ pracowała w dzień jako ekspedientka, a nocami przyszywała ptasie pióra, ponieważ uważała się za średnio inteligentną, ponieważ przyjechała autobusem z Charleroi, które straciło już swój górniczy charakter, było jej miło, gdy odkryła swą wyższość nad brukselskimi burżujkami - wyższość prawdziwej wielbicielki.

W centrum sklepu Balthazar Balsan - tronując na podeście w aureoli reflektorów, które oświetlały go niczym w dobrze mu znanych telewizyjnych studiach - rozpoczął obrzęd dedykacji z wystudiowanym dobrym humorem. Po dwunastu powieściach (i tyluż wielkich sukcesach) sam już nie wiedział, czy lubi składać autografy, czy tego nie lubi. Z jednej strony nudziło go monotonne, automatyczne powtarzanie gestów, z drugiej wszakże - cenił sobie spotkania z czytelnikami. Tym razem jednak znużenie wzięło górę nad apetytem na rozmowy; kontynuował raczej z przyzwyczajenia niż z ochoty. Znalazł się w trudnym dla pisarza momencie, kiedy nie musiał już wspomagać sprzedaży swych książek, ale bał się, że może się ona obniżyć. Tak samo jak jakość... Kto wie, może zdarzy się, że napisze o jedną książkę za dużo - ostatnie dzieło nie będzie już tak oryginalne, tak niezastąpione jak inne? Tymczasem bronił się jednak przed zwątpieniem, z dotychczasowych prób wychodził bowiem zwycięsko.

Ponad tłumem anonimowych twarzy dostrzegł piękną kobietę - Mulatkę, odzianą w połyskujący złotobrązowy jedwab, która spacerowała z boku w tę i we w tę. Rozmawiała przez telefon i od czasu do czasu rzucała iskrzące się spojrzenia w stronę pisarza.

- Kto to jest? - zapytał kierownika sprzedaży.

- Pańska rzeczniczka prasowa na Belgię. Chce pan, żebym ją panu przedstawił?

- Tak, proszę.

Szczęśliwy, że może choć na parę sekund przerwać łańcuch podpisów, przytrzymał dłoń, którą podała mu Florence.

– Będę się panem opiekowała przez kilka dni – wymamrotała zmieszana.

– Bardzo na to liczę – odparł z naciskiem.

Palce młodej kobiety odpowiedziały przychylnie na uścisk jego dłoni, a jej źrenice błysnęły porozumiewawczo. Balthazar zrozumiał, że odniósł zwycięstwo: nie będzie musiał spędzać samotnie nocy w hotelu.

Odzyskawszy energię, marząc już o miłosnych igraszkach, zwrócił się do następnej czytelniczki z uśmiechem ogra-ludożercy, pytając donośnym głosem:

– A więc, co mogę zrobić dla pani?

Odette była tak zaskoczona bijącą od niego samczą siłą, że nagle zupełnie straciła głowę.

– Mmm... Mmm... Mmmm...

Nie potrafiła wydobyć z siebie ani jednego słowa.

Balthazar Balsan spoglądał na nią niewidzącym wzrokiem, pełen profesjonalnej uprzejmości.

– Ma pani z sobą książkę?

Odette nie drgnęła, choć tuliła do piersi egzemplarz jego ostatniego dzieła.

– Chce pani, żebym podpisał *Ciszę na równinie*?

Odette z najwyższym wysiłkiem zdołała zamarkować potwierdzający gest.

Kiedy wyciągnął rękę po powieść, cofnęła się, przydeptując nogę stojącej za nią pani, a potem, zdawszy sobie sprawę, co wyrabia, zamachnęła się gwałtownie książką w jego stronę, o mało nie raniąc go w głowę.

– Komu zadedykować?

– ...

– To dla pani?

Odette kiwnęła głową.

– Jak się pani nazywa?

– ...

– Pani imię?

Stawiając wszystko na jedną kartę, otwarła usta i wyjąkała, przełykając ślinę:

– ... dette*.

– Przepraszam?

– ... dette!

– Dette?

Coraz bardziej załamana, ze ściśniętym gardłem, tracąc niemal przytomność, spróbowała po raz ostatni:

– ... dette

Kilka godzin później, siedząc na ławce, kiedy dzień już szarzał, a ciemność oderwała się od ziemi, by zakryć także niebo, Odette nie mogła się zdecydować, by wrócić do Charleroi. Skonsternowana,

---

* *Dette* (fr.) – dług.

czytała wciąż od nowa stronę tytułową *Ciszy na równinie*, na której jej ukochany autor napisał „dla Dette".

Tak głupio zmarnowała jedyne spotkanie z pisarzem swoich marzeń. Dzieci będą się z niej naigrywać... I będą miały rację. Czy jest na świecie jakaś inna kobieta w jej wieku, która nie potrafiłaby powiedzieć, jak ma na imię i jak się nazywa?

Zaledwie wsiadła do autobusu, zapomniała o całym wydarzeniu i przez całą drogę powrotną unosiła się nad ziemią. Już pierwsze zdanie nowej powieści Balsana skąpało ją w świetle i przeniosło w inny świat, wymazując z pamięci udrękę oraz wstyd i szczelnie oddzielając od rozmów sąsiadów, huku motorów i smutnego przemysłowego krajobrazu. Dzięki niemu bujała w obłokach.

Po powrocie do domu przemknęła się na paluszkach, by nikogo nie obudzić (chodziło przede wszystkim o to, by nikt nie zapytał o jej porażkę), a potem, oparta o poduszki na łóżku, naprzeciw ściany wyklejonej panoramą z sylwetkami kochanków na tle zachodu słońca nad morzem, nie potrafiła oderwać się od kolejnych stron i zgasiła nocną lampkę dopiero wtedy, gdy dotarła do końca książki.

Balthazar Balsan spędził za to noc o wiele bardziej cieleśnie – piękna Florence oddała mu się bez problemów. Bardzo starał się okazać wobec czarnej Wenus namiętnym kochankiem, co kosztowało go sporo wysiłku i dało mu odczuć, że również w sprawach łóżkowych objawia zmęczenie. Wszystko go męczyło - zaczął sobie zadawać pytanie, czy aby, wbrew sobie, nie zaczyna się szybko starzeć.

O północy Florence chciała włączyć telewizor, by obejrzeć ważny program poświęcony literaturze, w którym powinni zachwycić się jego książką. Balthazar zgodził się wyłącznie dlatego, iż dawało mu to okazję, by podczas zawieszenia broni zebrać nadwątlone siły.

Na ekranie pojawiło się oblicze wpływowego krytyka nazwiskiem Olaf Pims i Balthazar, wiedziony jakimś niepojętym instynktem, natychmiast przeczuł, że stanie się ofiarą napaści.

Na twarzy mężczyzny w czerwonych okularach toreadora, który zamierza zabawić się z bykiem, nim zada śmiertelny cios, pojawiło się znudzenie - wręcz wyraz obrzydzenia.

- Zwrócono się do mnie, bym zrecenzował ostatnią książkę Balthazara Balsana. Zgoda. Ale gdybyż tylko okazało się to prawdą! Gdybyśmy mieli pewność, że jest naprawdę ostatnia, byłaby to znakomita nowina! Jestem zdruzgotany. Z literackiego punktu widzenia to katastrofa. Wszystko w niej jest pożałowania godne: fabuła, postaci, styl... To niebywały wyczyn. Trzeba doprawdy szczególnego geniuszu, by udowodnić, że jest się aż tak złym pisarzem; tak konsekwentnie złym w każdym calu. Gdyby można było umrzeć z nudów, wyzionąłbym ducha wczorajszego wieczora.

W hotelowym pokoju oniemiały i nagi Balthazar Balsan, owinięty jedynie ręcznikiem wokół bioder, asystował przy własnej egzekucji. Obok niego zażenowana Florence kręciła się po łóżku jak robak na haczyku, usiłujący wydostać się na powierzchnię wody.

Tymczasem Olaf Pims kontynuował w spokoju masakrę.

– Jest mi tym bardziej przykro o tym mówić, że zdarzyło mi się poznać Balthazara Balsana na gruncie towarzyskim. To miły człowiek, ujmujący, zadbany, o nieco pociesznej prezencji nauczyciela gimnastyki, ale jak najbardziej na poziomie. Mówiąc krótko: mężczyzna, z którym kobieta rozwodzi się z przyjemnością.

Olaf Pims, zwróciwszy się w stronę kamery, kontynuował, uśmiechając się z lekka, jakby nagle znalazł się twarzą w twarz z Balsanem.

– Jeśli ma się tak wielkie wyczucie klisz i banału, panie Balsan, nie należy swej produkcji nazywać powieścią, ale słownikiem. Tak właśnie: słownikiem wyświechtanych frazesów, słownikiem pustych myśli. A na razie, oto na co zasługuje pańskie dzieło... Śmietnik. I to natychmiast!

Mówiąc to, Olaf Pims przedarł na pół egzemplarz, który trzymał w ręce, i z odrazą rzucił za siebie. Balthazar poczuł się, jakby dostał sierpowym w podbródek.

W studiu zszokowany gwałtownością ataku prezenter zapytał:

– Jak więc wyjaśni pan jego sukces?

– Ubodzy duchem też mają prawo do swych bohaterów. Konsjerżki, kasjerki i różne fryzjerki, kolekcjonujące jarmarczne laleczki i pocztówki z zachodami słońca, znalazły w nim bez wątpienia ideał pisarza.

Florence wyłączyła telewizor i odwróciła się do Balthazara. Gdyby miała więcej doświadczenia, powiedziałaby to, co należy w takiej sytuacji: „Ten Pims to zgorzkniały zawistnik, który nie może strawić sukcesu twoich książek. Roi sobie, że piszesz pod publiczkę, a w konsekwencji twoją szczerość uważa za obłudę; podejrzewa, że twoja znakomita technika pisarska to tylko handlowy interes, a pragnienie, by zainteresować czytelnika, to czysty marketing. A do tego sam się pogrążył, traktując twoich czytelników jak jakichś niegodnych podludzi i demonstrując skandaliczne uprzedzenia społeczne". Ale młoda, niezbyt lotna Florence była podatna na wpływy i nie potrafiła odróżnić niegodziwości od uczciwej krytyki. Dla niej sprawa była jasna.

Z pewnością to właśnie pogardliwe i jednocześnie pełne współczucia spojrzenie dziewczyny sprawiło, że Balthazar popadł tamtej nocy w depresję. Zawsze potrafił wymazać z pamięci złośliwe krytyki, ale nie umiał znieść, gdy się ktoś nad nim litował. Poczuł się stary, skończony i śmieszny.

Odette od tamtej nocy trzykrotnie przeczytała *Ciszę na równinie* i uznała ją za jedną z najlepszych powieści Balsana. Wyznała w końcu swemu synowi imieniem Rudy, który był fryzjerem, co wydarzyło się podczas jej spotkania z pisarzem. Wcale jej nie wyśmiał; rozumiał, że jego matka naprawdę cierpi.

– A czego oczekiwałaś? Co mu chciałaś powiedzieć?

– Że jego książki są nie tylko znakomite, ale bardzo mi pomagają. To najlepszy na świecie środek przeciw depresji. Powinni za nie zwracać ubezpieczenie.

– No więc jeśli nie potrafiłaś mu o tym powiedzieć, to musisz do niego napisać.

– Nie uważasz, że to by było dziwne, gdybym pisała do pisarza?

– A niby dlaczego?

– Jakaś marnie pisząca kobieta gryzmoląca coś do literata, który naprawdę umie pisać?

– Wiesz, nie brak na świecie łysych fryzjerów!

Odette, pokonana argumentem Rudy'ego, zainstalowała się w saloniku, służącym też za jadalnię, odłożyła na chwilę robótkę z piórami i ułożyła list:

Drogi Panie Balsan,

nigdy nie piszę, bo choć znam zasady, brak we mnie poezji. A wiele trzeba by poezji, bym potrafiła wyrazić, jak ważny jest Pan dla mnie. Prawdę mówiąc, zawdzięczam Panu życie. Bez Pana zabiłabym się już ze dwadzieścia razy. Sam Pan widzi, jak marnie piszę: przecież jeden raz by wystarczył!

Kochałam w życiu tylko jednego mężczyznę – mojego męża Antoine'a. Jest dla mnie wciąż tak samo piękny, smukły i młody. To nie do wiary, ale w ogóle się nie zmienia! No ale trzeba dodać, że od dziesięciu lat nie żyje, to pomaga. Nie chciałam go nikim zastąpić. To taki mój sposób na wieczną miłość.

Sama więc wychowałam dwoje dzieci, Sue Helen i Rudy'ego.

Rudy, jak myślę, jest w porządku. Zarabia na życie jako fryzjer, jest miły i pełen radości. Za często może zmienia przyjaciół, ale cóż, ma dziewiętnaście lat, więc lubi się zabawić.

Z Sue Helen to inna sprawa – wciąż jest w złym humorze. Urodziła się już najeżona. Nawet w nocy zrzędzi przez sen. Do tego związała się z kretynem, który wygląda jak małpa i cały dzień coś majstruje przy motorowerach, ale nigdy nie ma ani grosza. Od dwóch lat mieszka u nas. A do tego ma problem... śmierdzą mu nogi.

Przysięgam, że moje życie, zanim Pana poznałam, często wydawało mi się beznadziejne – okropne jak niedzielne popołudnie w Charleroi, kiedy niebo opada na głowę; okropne jak pralka, która psuje się właśnie wtedy, kiedy jest najbardziej potrzebna; okropne jak pustka w łóżku obok. Wciąż nachodziła mnie nocami ochota, żeby nałykać się proszków nasennych i wreszcie z tym wszystkim skończyć. Aż pewnego dnia zaczęłam czytać Pańską książkę. To było tak, jakby rozsunąć kotary i wpuścić do pokoju światło. W swoich książkach udowadnia Pan, że w każdym życiu, nawet tym najnędzniejszym, jest miejsce na radość, śmiech i miłość. Pokazuje Pan, że mali ludzie, tacy jak ja, mają w rzeczywistości wiele osiągnięć, bo nawet najmniejsza rzecz kosztuje ich więcej niż innych. Dzięki Pańskim książkom nauczyłam się sama siebie szanować. Zdołałam się troszkę polubić. Stałam się Odette Jakkażdą, jaką dziś wszyscy znają – kobietą, która co rano z radością otwiera okiennice i która co wieczór z radością je zamyka.

Powinni mi byli wstrzyknąć dożylnie Pańskie książki, kiedy zmarł Antoine, zaoszczędziłabym mnóstwo czasu.

Kiedy pewnego dnia, najpóźniej jak to możliwe, trafi Pan do raju, podejdzie do Pana Pan Bóg i powie: „Bal-

thazarze Balsan, jest tu mnóstwo osób, które chciały-by Panu podziękować za dobro, jakie uczynił pan na ziemi", a pomiędzy tymi milionami czytelników bę-dzie Odette Jakkażda. Odette Jakkażda, która – pro-szę jej wybaczyć – jest zbyt niecierpliwa, by czekać na tamtą chwilę.

Odette

Ledwie skończyła pisać, gdy Rudy wypadł jak burza z pokoju, gdzie romansował ze swym no-wym przyjacielem. Ledwie miał czas wciągnąć gat-ki i zarzucić koszulę, tak mu się spieszyło, by do-nieść Odette, że wyczytał w Internecie, iż Balsan za kilka dni podpisuje książki w niezbyt odleg-łym Namur.

– Będziesz mu mogła osobiście wręczyć list!

W księgarni w Namur Balthazar Balsan poja-wił się w towarzystwie swego wydawcy, który spe-cjalnie przybył z Paryża, by podtrzymać pisarza na duchu, co oczywiście jeszcze bardziej go przy-gnębiło. Uznał, że jeśli wydawca poświęca mu kil-ka dni, to znaczy, iż musi być naprawdę źle.

I w rzeczy samej, atak Olafa Pimsa przerwał milczenie – krytycy, niczym wilki, ruszyli nań całą watahą. Ci, którzy dotychczas kryli swe pa-zury lub byli obojętni wobec dzieł Balsana, rzu-cili się na niego hurmem, ci zaś, którzy nigdy nie przeczytali ani jednej jego książki, też mieli mu za złe sukces, a ci, którzy w ogóle nie mieli zdania, również zabrali głos, wypadało bowiem wziąć udział w dyskusji.

Balsan okazał się niezdolny, by dać odpór atakom – nie grał na tym boisku. Napastliwość, której nienawidził, była mu całkowicie obca; brakowało mu agresywności. Pisarzem został po to, by głosić chwałę życia, jego złożoność i piękno. Mógłby popaść w gniew z jakiegoś szczytnego powodu, ale nie we własnej sprawie. W przeciwieństwie do wydawcy, który chętnie wykorzystałby ów medialny szum, cierpiał w milczeniu, czekając, aż to wszystko wreszcie się skończy.

W Namur czekało na niego mniej czytelników niż w Brukseli, bo w ciągu kilku dni admirowanie Balsana stało się w złym tonie; tym milej odnosił się do tych, którzy się mimo wszystko zjawili.

Odette nie miała pojęcia o całym tym poruszeniu – nie czytywała gazet i nie oglądała programów kulturalnych, nie przypuszczała więc, że jej ukochany pisarz przeżywa tak ponury okres. Wystrojona zalotnie, ale mniej elegancko niż za pierwszym razem, podbudowana kieliszkiem białego wina, który Rudy wmusił w nią w kawiarni naprzeciw, stanęła cała drżąca przed Balthazarem Balsanem.

– Dzień dobry, poznaje mnie pan?

– Eee... Tak... Spotkaliśmy się... Niech pomyślę... w zeszłym roku?... Proszę mi pomóc...

Odette nie była w najmniejszym stopniu urażona; wolała, by nie pamiętał o jej niefortunnej przygodzie w zeszły wtorek, rozwiała więc jego wątpliwości.

– Nie, tylko żartowałam. Nigdyśmy się nie spotkali.

– Och, tak właśnie myślałem, przecież bym pamiętał. Z kim mam honor?

– Jakkażda. Odette Jakkażda.

– Przepraszam?

– Jakkażda. Tak się nazywam.

Usłyszawszy komiczne raczej nazwisko, Balthazar pomyślał, że Odette z niego kpi.

– Pani żartuje?

– Przepraszam?

Zdawszy sobie sprawę ze swej gafy, Balthazar poprawił się:

– No cóż, musi pani przyznać, że to niezwykłe nazwisko...

– Nie w mojej rodzinie!

Odette podsunęła mu nowy egzemplarz do podpisu.

– Czy mógłby pan napisać po prostu „Dla Odette"?

Rozproszony Balthazar chciał się upewnić, czy dobrze usłyszał.

– Odette?

– Tak, właśnie. Moi rodzice nie mieli dla mnie litości!

– Ależ Odette to piękne imię...

– Okropne!

– Wcale nie.

– Tak!

– Takie proustowskie.

– Prou...?

– Proustowskie... *W poszukiwaniu straconego czasu*... Odette de Crécy, kobieta, w której Swann był zakochany...

– Ja znam tylko pudle, które wabią się Odette. Tylko pudle. I ja. Zresztą wszyscy zapominają, jak mam na imię. Może powinnam nosić obróżkę i zrobić fryzurę na pudla, żeby zapamiętali?

Popatrzył na nią badawczo, niepewny, czy dobrze usłyszał, aż w końcu wybuchnął śmiechem.

Odette pochyliła się i wręczyła mu kopertę.

– Proszę, to dla pana. Kiedy z panem rozmawiam, wygaduję same głupstwa, więc do pana napisałam.

Po czym zniknęła w szeleście piór.

Umościwszy się w głębi samochodu, który zabrał go wraz z paryskim wydawcą, Balthazar poczuł przez chwilę pokusę, by przeczytać list. Gdy jednak zobaczył kiczowatą papeterię, na której girlandy białych róż przeplatały się z gałązkami bzu, trzymanymi przez aniołki z wielkimi pupami, zrezygnował. Olaf Pims miał zdecydowanie rację: jest pisarzem dla kasjerek i fryzjerek – ma takie wielbicielki, na jakie zasłużył! Niemniej wsunął z westchnieniem kopertę do wewnętrznej kieszeni zamszowego płaszcza.

W Paryżu czekało go piekło. Nie tylko jego wiecznie nieobecna żona, zaabsorbowana praktyką adwokacką, nie wykazała najmniejszego współczucia w związku z tym, co go spotkało, ale dowiedział się też, iż jego dziesięcioletni syn zmuszony był bić się w szkole z małymi gnojkami, którzy wyśmiewali się z jego taty. Otrzymał niewiele dowodów poparcia, a żadnego ze środowiska literackiego – może sam był temu winien, bo zawsze trzymał się od niego z dala. Zamknięty w ogromnym apartamencie na Wyspie Świętego Ludwika, z milczącym telefonem (również z własnej winy – nikomu nie dawał swojego numeru), próbował obiektywnie ocenić swoje życie i doszedł do wniosku, że je zmarnował.

Jego żona Isabelle – z pewnością piękna, ale oziębła, szorstka i ambitna – jest niewolnicą odziedziczonych konwenansów, o wiele lepiej niż on przystosowaną do poruszania się w świecie drapieżników. Czyż to, że pozwolili sobie wzajemnie na pozamałżeńskie przygody, nie dowodzi, iż łączą ich raczej społeczne konwenanse, a nie więzy miłości? Wszyscy mu oczywiście zazdroszczą wspaniałego mieszkania w samym centrum stolicy, ale czy naprawdę je lubi? Nie wybrał osobiście nic z tego, co znajduje się na ścianach, oknach, półkach i kanapach: załatwił to dekorator. W salonie pyszni się fortepian, na którym nikt nie gra – żałosny symbol pozycji społecznej. Jego biurko zostało pomyślane tak, by dobrze wyglądało na zdjęciach w kolorowych magazynach, ale on przecież woli tworzyć w kawiarni. Zdał sobie sprawę, że żyje pośród dekoracji. Jeszcze gorzej: pośród cudzych dekoracji.

Na co poszły jego pieniądze? Na to, by pokazać, że zdołał się wybić, że awansował do klasy, z której nie pochodził... Nic z tego, co posiadał, nie wzbogaciło go naprawdę, choć wszystko dowodziło, że jest bogaty.

Choć już przedtem zdawał sobie z tego niejasno sprawę, ów ponury paradoks nie bardzo mu przeszkadzał – ratowała go wiara we własne dzieło. A teraz przypuszczono na nie bezwzględny atak... On sam zwątpił... Czy udało mu się napisać choć jedną wartościową powieść? Czy powodem nagonki jest wyłącznie zazdrość? A jeśli ci, którzy odsądzają go od czci i wiary, mają rację?

Wrażliwy, uczuciowy, przyzwyczajony odnajdować równowagę ducha w twórczości, nie potrafił stawić czoła prawdziwemu życiu. Nie umiał znieść, że publicznie roztrząsa się intymne, gnębiące go od zawsze pytanie, czy posiada talent dorównujący ambicjom. Wreszcie pewnego wieczora, gdy jakaś życzliwa dusza dała mu znać, że żona ustawicznie przyprawia mu rogi z Olafem Pimsem, usiłował popełnić samobójstwo.

Odnalazła go bez życia filipińska bona, na szczęście nie było jeszcze za późno. Lekarz z pogotowia zdołał przywrócić mu świadomość, a potem - po kilku dniach obserwacji - umieszczono go w szpitalu psychiatrycznym.

Zamknął się w dobroczynnej ciszy. Z pewnością, po kilku tygodniach, starania nieustraszonych psychiatrów, którzy usiłowali go z niej wydobyć, uwieńczone zostałyby sukcesem, gdyby nie nagła wizyta żony.

Kiedy usłyszał metaliczny trzask drzwiczek samochodu, od razu wiedział, że to Isabelle parkuje swój czołg. Dla pewności spojrzał tylko przez okno, po czym w mgnieniu oka zebrał swoje rzeczy, chwycił płaszcz i sforsował drzwi prowadzące na zewnętrzne schody. Zbiegając jak burza, sprawdził jeszcze, czy ma przy sobie drugie kluczyki, rzucił się do samochodu i odjechał w chwili, gdy Isabelle wsiadała do windy. Oszołomiony, jechał prosto przed siebie. Dokąd? Nieważne. Kiedy tylko próbował się zastanowić, u kogo mógłby znaleźć schronienie, rezygnował na samą myśl o tym, że musiałby się tłumaczyć.

Zatrzymał się na stacji przy autostradzie. Mieszając przesłodzoną kawę, przesiąkniętą niemiłym aromatem kartonowego kubka, zauważył, że coś wypycha mu kieszeń zamszowego płaszcza.

Nie mając nic lepszego do roboty, otworzył kopertę i westchnął, stwierdziwszy, że jego wielbicielce nie wystarczyła kiczowata papeteria – w środku było jeszcze ozdobione piórami serduszko z czerwonego filcu. Apatycznie zabrał się do czytania; kiedy kończył, oczy miał pełne łez.

W samochodzie, wyciągnięty na opuszczonym fotelu, przeczytał list jeszcze ze dwadzieścia razy, aż w końcu nauczył się go na pamięć. Za każdym razem gdy powtarzał na głos słowa Odette, wzruszała go jej szczera, pełna ciepła dusza, a zakończenie działało nań jak kojący balsam.

Kiedy pewnego dnia, najpóźniej jak to możliwe, trafi Pan do raju, podejdzie do Pana Pan Bóg i powie: „Balthazarze Balsan, jest tu mnóstwo osób, które chciałyby Panu podziękować za dobro, jakie uczynił pan na ziemi", a pomiędzy tymi milionami czytelników będzie Odette Jakkażda. Odette Jakkażda, która – proszę jej wybaczyć – jest zbyt niecierpliwa, by czekać na tamtą chwilę.

Kiedy poczuł, że wykorzystał już do końca zbawienne działanie jej słów, zapalił silnik i postanowił poznać ich autorkę.

Tamtego wieczora Odette Jakkażda przygotowywała „pływające wyspy", ulubiony deser swej córki, okropnej Sue Helen, wciąż wystrojonej w aparat dentystyczny byłej nastolatki, która wędrowała ze spotkania w sprawie pracy na spotkanie w sprawie pracy, nigdzie nie znajdując zatrudnienia. Właśnie podśpiewując sobie, ubijała białka na pianę, gdy odezwał się dzwonek. Zła, że ktoś przeszkadza jej w tak delikatnej operacji, wytarła szybko ręce i w przekonaniu, że to sąsiadka z przeciwka, nie tracąc czasu, by narzucić coś na skromną nylonową halkę, pobiegła do drzwi.

Zastygła z otwartymi ustami przed ledwie żywym, źle ogolonym Balthazarem Balsanem, trzymającym w ręku torbę podróżną. Spojrzał na nią rozgorączkowanym wzrokiem, wymachując kopertą.

- To pani napisała ten list?

Skonfundowana Odette myślała, że zamierza ją złajać.

- Tak... ale...

- Uff... Udało mi się panią odnaleźć.

Odette osłupiała, gdy Balthazar wydał z siebie pełne ulgi westchnienie.

– Chciałbym, żeby mi pani odpowiedziała na tylko jedno pytanie.

– Tak?

– Czy pani mnie kocha?

– Tak.

Nawet się nie zawahała.

Dla niego była to drogocenna chwila – chwila, którą rozkoszował się całym sobą. Nie myślał o tym, że cała ta sytuacja może być żenująca dla Odette, która zacierając nerwowo ręce, nie ośmielała się wspomnieć o tym, co ją gnębi. Wreszcie jednak przemówiła:

– Moja piana...

– Przepraszam?

– Właśnie ubijam białka, a wie pan, białka, jak się przerwie...

Ogłupiała, zilustrowała gestem, jak klęśnie piana.

Balthazar był zbyt poruszony, by pojąć, o co jej chodzi.

– Prawdę mówiąc, mam też drugie pytanie.

– Tak.

– Mogę je pani zadać?

– Tak.

– Naprawdę mogę?

– Tak.

Wbił wzrok w podłogę i nie śmiejąc spojrzeć jej w oczy, niczym dzieciak pełen poczucia winy, zapytał:

– Pozwoli mi pani zostać u siebie przez kilka dni?

– Przepraszam?

– Proszę po prostu odpowiedzieć: tak czy nie?

Wstrząśnięta Odette zastanowiła się przez dwie sekundy, a potem z całą naturalnością wykrzyknęła:

– Tak. Ale proszę szybko, muszę wracać do mojej piany!

Chwyciła za torbę podróżną i wciągnęła Balthazara do mieszkania.

I tak oto Balthazar Balsan – czego się nikt w Paryżu nie domyślał – zamieszkał w Charleroi u Odette Jakkażdej, ekspedientki za dnia, nocami zajmującej się piórkami.

– Co pani robi z tymi piórkami? – zapytał pewnego wieczora.

– Przyszywam je do kostiumów tancerek. Wie pan, Folies-Bergère, Casino de Paris, takie tam rzeczy... Muszę dorabiać do pensji.

Balthazar odkrył życie na antypodach tego, jakie prowadził dotychczas: bez chwały, pieniędzy, a mimo to szczęśliwe.

Odette otrzymała od niebios dar: radość. Gdzieś tam, w głębi siebie, musiała mieć jazz-band grający na okrągło porywające kawałki i energetyzujące melodie. Żadne trudności nie były w stanie rozłożyć jej na łopatki. Kiedy miała problem, szukała rozwiązania. Ponieważ z natury była pokorna i skromna, nigdy nie uważała, iż zasługuje na więcej, niż ma – omijały ją zatem wszelakie frustracje. Kiedy opowiadała Balthazarowi o klockowatym bloku z cegły, w którym mieszkała z innymi wspomaganymi przez pomoc socjalną lokatorami, mówiła jedynie o loggiach w pastelowych kolorach, takich jak lody latem, balkonach ozdobionych plastikowymi kwiatami, korytarzach udekorowanych plecionymi makatkami, geranium i wizerunkami marynarzy z fajką.

– Jeśli już miało się to szczęście, by tutaj zamieszkać, człowiek nie ma ochoty się stąd wyprowadzać. Stąd odchodzi się tylko nogami do przodu, w sosnowej skrzyni... Ten dom to taki mały raj!

Pełna życzliwości wobec całego świata, dobrze żyła nawet z tymi, którzy uważali się za jej przeciwieństwo, i nie starała się ich osądzać. Choćby na swojej klatce sympatyzowała z małżeństwem Flamandów-nacjonalistów, które miało abonament w solarium oraz w klubie seksualnych uciech; była też blisko z oschłym i zasadniczym, wszystko wiedzącym lepiej urzędnikiem z merostwa, wymieniała przepisy z młodą narkomanką, matką pięciorga już dzieci, która niekiedy w napadach wściekłości drapała ściany, a chleb i mięso kupowała u niejakiego pana Wilpute, kaleki na rencie, zapiekłego rasisty, który wedle niej, „wygadywał głupstwa", ale był przecież ludzką istotą.

Równie otwarta była w ramach rodziny: rozbuchany homoseksualizm syna przysparzał jej mniej trosk niż ponury nastrój Sue Helen, która nieustannie przechodziła trudny okres. Delikatnie, choć wciąż spotykała się z odporem, próbowała pomóc córce się uśmiechać, zachować cierpliwość i (daj Boże!) zerwać z chłopakiem imieniem Polo – żarłocznym i chciwym, a do tego cuchnącym pasożytem, którego Rudy nazywał „torbielą".

Balthazara zaakceptowano w ciasnym mieszkaniu, o nic go nie pytając, niczym będącego przejazdem kuzyna, któremu należy się gościnność. Nie mógł się powstrzymać, by nie porównać tego ze swym i własnej żony zachowaniem, gdy przyjaciele prosili o gościnę w Paryżu. „A od czego są hotele!" – wykrzykiwała za każdym razem wściekła Isabelle, nim dała do zrozumienia natrętom, że będzie im u nich niewygodnie z powodu ciasnoty.

Ponieważ nikt nie zadawał mu pytań, Balthazar nie zastanawiał się, co właściwie tu robi, a tym mniej, dlaczego ciągle jeszcze tu jest. Nie będąc zmuszonym do szukania odpowiedzi, odzyskał siły, nie zdając sobie sprawy, jak bardzo owo społeczne i kulturalne zesłanie zbliżyło go do własnych korzeni. Porzucony przez matkę tuż po urodzeniu, wychowywał się w kilku zastępczych rodzinach - u dzielnych ludzi, którzy na kilka lat dorzucali sierotę do własnych dzieci. Bardzo wcześnie przysiągł sobie, że „ucieknie do góry" dzięki wykształceniu, które pomoże mu zdobyć nową tożsamość. Dzięki kolejnym stypendiom nauczył się greki, łaciny, angielskiego, niemieckiego i hiszpańskiego, pochłonął całe biblioteki publiczne, by zdobyć kulturalną ogładę, a w końcu zdołał zdać egzaminy do jednej z najbardziej prestiżowych wyższych szkół we Francji - École Normale Supérieure - do czego dorzucił jeszcze kilka uniwersyteckich dyplomów. Po takich akademickich osiągnięciach podążyłby zapewne zwykłą drogą kariery i został profesorem lub wyższym urzędnikiem, gdyby nie odkrył w sobie pisarskich talentów. O dziwo, w swych powieściach nie opisywał świata, w jakim się teraz poruszał, lecz ten, w którym spędził swoje pierwsze lata. I bez wątpienia właśnie ów fakt stał się powodem harmonijności jego dzieła, popularności wśród masowych czytelników i oczywiście lekceważenia go przez inteligentów. Od czasu gdy został członkiem rodziny Jakkażdych, zasmakował w prostych przyjemnościach oraz rozmyślaniach wyzbytych ambicji i zaczął odczuwać radość z życia pośród przyjaznych ludzi.

Rozmawiając z sąsiadami, odkrył, że wszyscy wokół myślą, iż jest kochankiem Odette.

Kiedy usiłował temu zaprzeczyć w rozmowie z Filipem, sąsiadem od seksualnych igraszek, który urządził sobie w garażu siłownię, ten powiedział mu, żeby nie robił z niego kretyna.

– Odette od lat nie przyjmowała u siebie żadnego faceta. A poza tym świetnie cię rozumiem: nie ma nic złego w tym, że się sobie robi dobrze! Odette jest całkiem, całkiem kobietką. Gdyby tylko zechciała, ja bym jej nie odmówił.

Zbity z tropu, wyczuwając, że zaprzeczanie tylko zaszkodzi reputacji Odette, Balthazar powrócił do mieszkania pełen nowych pytań.

Czy ja jej pożądam, nie zdając sobie z tego sprawy? Nigdy o tym nie myślałem. Nie jest kobietą w moim typie... Jest zbyt... no, nie wiem... Poza tym jest w moim wieku... Jeśli już miałbym ochotę, to z jakąś młodszą, to normalne... Ale nic w tym wszystkim nie jest normalne. A zresztą, co ja tu w ogóle robię?

Wieczorem, kiedy dzieci wybrały się na koncert muzyki pop i znalazł się sam na sam z Odette, spojrzał na nią innym okiem.

W rozproszonym świetle stojącej lampy, w puszystym swetrze z angory, zajęta naszywaniem piór na pancerzyk ze strasów, wydała mu się pełna wdzięku. Dotychczas tego nie dostrzegał.

Może Filip miał rację... Czemu o tym wcześniej nie pomyślałem?

Poczuwszy na sobie wzrok Balthazara, Odette uniosła głowę i uśmiechnęła się do niego. Skrępowanie minęło.

Aby się do niej zbliżyć, odłożył książkę i rozlał kawę do filiżanek.

– Odette, czy ma pani jakieś marzenie?

– Tak... Pojechać nad morze.

– Śródziemne?

– Śródziemne? A po co? Tu też mamy morze. Pewnie mniej piękne, ale za to bardziej dyskretne, bardziej powściągliwe... Nasze Morze Północne, po prostu.

Usiadł przy niej i sięgając po filiżankę, położył głowę na jej ramieniu. Przebiegł ją dreszcz. Ośmielony, zaczął głaskać palcami jej rękę, ramię, szyję. Dygotała. Wreszcie zbliżył wargi do jej ust.

– Nie. Bardzo pana proszę.

– Nie podobam się pani?

– Niech pan nie będzie głupi... Oczywiście że tak... Ale nie!

– Antoine? Wspomnienie Antoine'a?

Odette spuściła głowę, otarła łzę i powiedziała głosem tak smutnym, jakby zdradziła swego nieboszczyka męża:

– Nie. To nie z powodu Antoine'a.

Balthazar wyciągnął z tego wniosek, że ma wolną drogę, i przycisnął wargi do jej warg.

Poczuł na szczęce siarczysty policzek. Zaraz potem, w zupełnej sprzeczności z tym, co zrobiła, Odette zaczęła głaskać palcami jego twarz, jakby chciała wymazać uderzenie.

– Och! Przepraszam, przepraszam...

– Nie rozumiem. Pani nie chce...

– Zadawać panu bólu? Och nie, przepraszam...

– Pani nie chce kochać się ze mną?

Odpowiedzią był kolejny policzek, po którym wzburzona Odette zerwała się z kanapy, wybiegła z pokoju i zamknęła się w swojej sypialni.

Nazajutrz, spędziwszy noc w garażu Filipa, Balthazar postanowił wyjechać, nie chcąc zaogniać jeszcze bardziej absurdalnej sytuacji. Zmierzając samochodem w kierunku autostrady, zboczył do salonu fryzjerskiego, w którym pracował Rudy. Wręczył mu plik banknotów, mówiąc:

– Muszę wracać do Paryża. Twoja mama jest zmęczona i marzy o tym, by pojechać nad morze. Weź, proszę, te pieniądze i wynajmij jej jakiś domek. Ale przede wszystkim nie mów, że to ja za tym stoję. Udawaj, że dostałeś premię, zgoda?

Nie czekając na odpowiedź, wskoczył do samochodu.

Pod jego nieobecność sytuacja w Paryżu się uspokoiła, mówiono już o innych sprawach. Wydawca Balsana nie wątpił, że odzyska on z czasem zaufanie czytelników i życzliwość mediów.

Aby uniknąć spotkania z żoną, wpadł do mieszkania, kiedy była w pracy, zostawił jej kilka słów, by zapewnić ją, że się dobrze miewa (czy to ją zresztą w ogóle obchodziło?), spakował jedną walizkę i wyjechał do Sabaudii, gdzie jego syn przebywał z klasą na nartach, mając nadzieję, że znajdzie w okolicy jakiś wolny pokój.

François, od chwili gdy Balthazar go odnalazł, nie chciał się z nim rozstawać ani na moment. Po kilku dniach spędzonych z synem na nartach zdał sobie sprawę, że – wciąż dotąd nieobecny – musi nadrobić ogromny dług miłości wobec swego dziecka.

Co więcej, nie wolno mu nie dostrzegać jego wrażliwości i chronicznych lęków. François pragnął, by inni go akceptowali, i w tym celu starał się do nich upodobnić, co sprawiało, że cierpiał, bo nie był sobą.

– Niedługo będą ferie wielkanocne, co byś powiedział, gdybyśmy się wybrali nad morze? Tylko ty i ja?

W odpowiedzi chłopczyk rzucił mu się w ramiona, krzycząc z radości.

W niedzielę wielkanocną Odette po raz pierwszy zobaczyła Morze Północne. Onieśmielona, kreśliła rysunki na piasku. Nieskończoność wód, nieba i plaży wydawała się jej luksusem przekraczającym jej środki - miała wrażenie, że korzysta ze wspaniałości, które jej się nie należą.

Nagle poczuła, że pali ją kark, i zaczęła intensywnie myśleć o Balthazarze. Kiedy się odwróciła, stał tam, na wydmie, trzymając za rękę swojego synka.

Ich ponowne spotkanie było pełne emocji, ale i subtelności - nie chcieli ranić się wzajemnie.

- Szukałem pani, Odette, bo mój syn potrzebuje lekcji. Czy wciąż ich pani udziela?

- Co?

- Czy wciąż pani udziela lekcji radości?

Balthazar i François zamieszkali w wynajętym dla Odette domku, jakby to się rozumiało samo przez się. Rozpoczęły się ferie.

Kiedy ich życie biegło już utartym torem, Odette poczuła, że musi wyjaśnić Balthazarowi, dlaczego go spoliczkowała.

- Nie chcę się z panem kochać, bo wiem, że nie będziemy razem. W moim życiu jest pan tylko przechodniem. Wszedł pan w nie i wyszedł.

- Ale wróciłem.

- I znowu pan odejdzie... Nie jestem idiotką: wielki paryski pisarz Balthazar Balsan i Odette

Jakkażda, ekspedientka z Charleroi, nie mają wspólnej przyszłości. Już na to za późno. Może gdybyśmy mieli ze dwadzieścia lat mniej...

– Wiek nie ma nic wspólnego z...

– Tak, ma. Sprawia, że więcej życia mamy za sobą niż przed sobą. Usadowił się pan w pewnym świecie, a mój jest zupełnie inny. Paryż – Charleroi, pieniądze – brak pieniędzy... Nie można już obstawiać gry... Nasze drogi mogą się przecinać, ale nigdy nie spotkamy się naprawdę.

Balthazar nie bardzo rozumiał, czego właściwie oczekuje od Odette – ale wiedział, że jej potrzebuje.

Co do reszty, ich historia była do niczego niepodobna. Może Odette miała rację, chroniąc ich przed banalnością miłosnego związku? Ale mogła się też mylić... Czy aby nie broniła się przed swoim ciałem? Czy po śmierci Antoine'a nie narzuciła sobie niedorzecznego celibatu?

Zdał sobie z tego szczególnie mocno sprawę pewnego wieczora, gdy w chatce rybaka rozpoczęły się improwizowane tańce. Wyzwolona przez muzykę, porwana rytmem samby Odette wiła się zmysłowo; jej wdzięczne, zalotne ruchy zdradzały wyzywającą, nasyconą erotyzmem kobiecość, jakiej u niej nie podejrzewał. Wykonał wokół niej kilka tanecznych *pas* i kiedy ocierali się ramionami i udami, poczuł, że bez trudu mógłby się z nią znaleźć w łóżku.

W blasku księżyca wyznała mu szczerze:

- Wie pan, Balthazarze, ja nie jestem w panu zakochana.

- Ach?...

- Nie. Nie jestem w panu zakochana. Kocham pana, po prostu.

Dla niego było to najpiękniejsze wyznanie miłosne, jakie usłyszał w życiu - piękniejsze nawet od tych, jakie wymyślił w swych książkach.

Zamiast odpowiedzieć, wręczył jej teczkę oprawną w jaszczurczą skórę. Była w niej jego nowa powieść, którą pisał od czasu, gdy się na powrót spotkali.

- Będzie się nazywać *Cudze szczęście*. Opowiadam w niej o losach kilku osób, które daremnie go szukają. A nie udaje im się dlatego, że odziedziczyły albo przejęły pomysły na szczęście, które nie są dla nich: pieniądze, władza, korzystne małżeństwo, długonogie kochanki, sportowe samochody, wielki apartament w Paryżu, dom w Alpach, willa w Saint-Tropez - same banalne stereotypy. Mimo że udaje im się to wszystko zdobyć, wcale nie są szczęśliwi, bo żyją szczęściem innych. Cudzym szczęściem. To pani zawdzięczam tę książkę. Proszę spojrzeć na początek.

Obejrzała w świetle latarenki przed domem pierwszą stronę, na której napisał: „Dla Dette".

Poczuła się tak lekko, iż wydawało jej się, że sięga głową księżyca. Serce o mało nie wyskoczyło jej z piersi. Kiedy odzyskała oddech, przycisnęła dłoń do piersi i wyszeptała:

– Uspokój się, Odette. Uspokój się.

Gdy o północy pocałowali się w policzek, życząc sobie pięknych snów, Balthazar pomyślał, że – logicznie rzecz biorąc – podczas dwóch dni, jakie im jeszcze pozostały, zostaną kochankami.

Nazajutrz czekała go niemiła niespodzianka. Kiedy wraz z François, Rudym i Sue Helen powrócił z rowerowej wycieczki, zastał w salonie żonę oraz swego wydawcę.

Gdy zobaczył Isabelle, poczuł, że szykuje się coś złego, i mało brakowało, aby się na nią rzucił. Powstrzymała go Odette.

– Niech pan ją zostawi w spokoju. Wyłącznie ja odpowiadam za to spotkanie. Niech pan siada i proszę się poczęstować ciastem. Domowe. Pójdę przygotować coś do picia.

To, co potem nastąpiło, wydało się Balthazarowi czystym surrealizmem.

Jakby pogrążony w koszmarnym śnie, miał wrażenie, że Odette uważa się za miss Marple, która zakończywszy śledztwo, zebrała przy herbatce z ciasteczkami bohaterów kryminalnej powieści, by objaśnić im intrygę i wyciągnąć wnioski.

– Zawdzięczam bardzo wiele książkom Balthazara Balsana. Nigdy nie przypuszczałam, że będę mogła mu się za to odwdzięczyć, aż zbieg okoliczności sprawił, że kilka tygodni temu poszukał u mnie schronienia. Wkrótce będzie musiał wrócić do Paryża: w jego wieku i z jego pozycją nie rozpoczyna się nowego życia w Charleroi. A nie wraca, bo mu wstyd, ale przede wszystkim dlatego że się boi.

Odwróciła się w stronę Isabelle, która zdawała się sceptycznie odnosić do lęków swego męża.

– A boi się pani! Dlaczego? Bo pani go już nie podziwia. Powinna pani być dumna ze swego męża! Uszczęśliwił tysiące ludzi. Może i są wśród nich nic nieznaczące sekretarki, pracownicy najemni jak ja, ale o to właśnie chodzi! To, że udaje mu się nas zainteresować i poruszyć – a my nie czytamy dużo i nie jesteśmy kulturalni jak wy! – jest właśnie dowodem, że ma większy talent niż inni! Dużo większy! Bo, proszę pani, może i Olaf Pims też pisze znakomite książki, ale ja potrzebuję encyklopedii i paru opakowań aspiryny, żeby zrozumieć, o co mu w ogóle chodzi. To snob zwracający się tylko do tych, którzy przeczytali tyle co on.

Podała filiżankę z herbatą wydawcy, obrzucając go gniewnym spojrzeniem.

– No, a pan, pan powinien bardziej bronić swojego autora przed tym całym paryskim towarzystwem, które mu ubliża i wpędza w chandrę. Jeśli ma się szczęście trafić na taki skarb, to się o niego dba! Albo trzeba, proszę pana, zmienić zawód! Niech pan spróbuje cytrynowego ciasta, specjalnie je upiekłam!

Sterroryzowany wydawca zrobił, co mu kazano. Odette zwróciła się na powrót do Isabelle Balsan.

– Myśli pani, że on pani nie kocha? Że przestał panią kochać? On zresztą może też tak myśli... Ale ja zauważyłam jedną rzecz: on wciąż nosi przy sobie pani zdjęcie.

Isabelle, wzruszona prostodusznością Odette, pochyliła głowę i odparła szczerze.

– Tak często mnie zdradzał...

– Och, jeśli pani uważa, że mężczyzna nie powinien flirtować na boku, i wierzy, że nie będzie węszył gdzie indziej, to trzeba sobie sprawić psa, nie faceta! A do tego trzeba go uwiązać na łańcuchu przy budzie. Bardzo kochałam mojego Antoine'a i dalej go kocham po dwudziestu latach, ale znakomicie wiedziałam, że obłapia inne baby, niepodobne do mnie, może i ładniejsze, a może po prostu roztaczające inną woń. Ale to nie przeszkadzało, by zmarł na moich rękach. W moich ramionach. Patrząc na mnie. I to był prezent, jaki na zawsze mi zostawił...

Przez chwilę walczyła z emocjami, które ogarnęły ją znienacka, po czym zmusiła się, by mówić dalej.

– Balthazar Balsan wróci do pani. Zrobiłam wszystko, by go dla pani poskładać z powrotem do kupy, żeby doszedł do formy, żeby się uśmiechał, śmiał... Bo, słowo daję, nie można pozwolić, żeby tacy faceci – tak dobrzy, zdolni, tak przy tym nieporadni – szli na dno. Za dwa dni wracam do sklepu, do Charleroi. I bardzo bym nie chciała, żeby moje wysiłki poszły na marne...

Balthazar wpatrywał się boleśnie w Odette, która przy wszystkich rozrywała na strzępy ich miłosną historię. Miał jej za złe, nienawidził jej, że mu to robi. Wydawało mu się, że ma kłopoty z mówieniem, gubi się, ogarnia ją szaleństwo, ale czuł, że nie ma sensu jej się przeciwstawiać. Jeśli publicznie ogłosiła, że tak ma być, to się nie wycofa.

Przed powrotem Balthazar wybrał się z Isabelle na spacer pomiędzy wydmami. Żadne z nich nie było przekonane, że uda im się znowu być razem, ale – dla François – postanowili spróbować raz jeszcze.

Kiedy wracali do domku rybaka, wyminęła ich karetka pogotowia, rozdzierając syreną powietrze: Odette miała atak serca.

Tak długo, jak długo jej życie wisiało na włosku, wszyscy pozostali w Blieckenbleck. Kiedy lekarze na reanimacji stwierdzili, że nie grozi jej bezpośrednie niebezpieczeństwo, wydawca i Isabelle wraz z synkiem wrócili do Paryża.

Balthazar wynajął domek na dłużej, zajął się też Rudym i Sue Helen, umawiając się z nimi, że nie powiedzą matce, iż wciąż jeszcze tam jest.

– Później... Jak się lepiej poczuje...

Codziennie podwoził oboje do kliniki i czekał na nich na krześle pośród zielonych roślin, babć w szlafrokach i pacjentów błąkających się ze stojakami, do których były przyczepione kroplówki.

W końcu Odette odzyskała siły, kolory oraz ducha. Zdziwiła się, że ktoś postawił zdjęcie Antoine'a na szafce u wezgłowia łóżka.

– Kto to zrobił?

Dzieci wyznały, że był to pomysł Balthazara, który wciąż jeszcze jest w Blieckenbleck i zajmuje się nimi jak ojciec.

Widząc, jak reaguje ich matka, szaleje kardiologiczna aparatura, tańczą zielone diagramy, ukazujące rytm serca, Rudy i Sue Helen zrozumieli, że Balthazar miał rację, czekając, aż Odette się pozbiera. Pojęli, że przyczyną ataku było to, iż go odepchnęła, czego jej serce nie potrafiło znieść.

Nazajutrz Balthazar, wzruszony jak piętnastolatek, wszedł do pokoju Odette i wręczył jej dwa bukiety.

– Dlaczego dwa?

– Jeden ode mnie i jeden od Antoine'a.

– Antoine'a?

Balthazar usiadł przy łóżku, wskazując czułym gestem na zdjęcie jej męża.

– Zostaliśmy z Antoine'em świetnymi kumplami. Zaakceptował mnie. Uznał, że kocham panią dostatecznie mocno, by zasłużyć na jego szacunek. Kiedy miała pani ten atak, wyznał mi, że trochę za szybko się ucieszył; myślał, że pani zaraz do niego dołączy. A potem dręczyły go wyrzuty sumienia z powodu własnego egoizmu. Teraz się bardzo cieszy, ze względu na panią i dzieci, że wszystko jest już dobrze.

– Co jeszcze panu mówił?

– Nie spodoba się to pani...

Balthazar pochylił się z szacunkiem nad Odette i wyszeptał:

– Powierzył panią mnie...

Poruszona do głębi Odette zaczęła bezgłośnie łkać. Mimo wszystko próbowała żartować.

– Nie zapytał mnie o zdanie?

– Antoine? Nie. Uważa, że jest pani uparta jak osioł.

Pochylił się jeszcze niżej i dodał z niezwykłą czułością:

– Powiedziałem mu, że się z nim zgadzam.

Nareszcie się pocałowali.

Aparatura medyczna znów zaczęła szaleć – rozległ się alarm wzywający pomocy, bo pewne serce dało się porwać uniesieniu.

Balthazar oderwał wargi od jej ust i wyszeptał:

– Uspokój się, Odette, uspokój się.

Najpiękniejsza książka świata

Na widok Olgi poczuły powiew nadziei.

Na pewno nie sprawiała wrażenia osoby szczególnie dobrotliwej. Była oschła, wysoka i chuda, a kości policzkowe i łokcie sterczały jej spod ciemnawej skóry. Początkowo nie spojrzała nawet na kobiety w baraku; usiadła na przypisanej sobie pryczy z siennikiem, ułożyła ubrania w drewnianej skrzynce, wysłuchała strażniczki, która wrzeszcząc, jakby nadawała morsem, wyskandowała regulamin, i poruszyła głową dopiero wtedy, gdy tamta wskazała jej niedbałym gestem, gdzie znajdują się urządzenia sanitarne. Kiedy strażniczka odeszła, Olga wyciągnęła się na plecach i strzelając stawami palców, pogrążyła się w kontemplacji poczerniałych desek sufitu.

- Zwróciłyście uwagę na jej fryzurę? - mruknęła Tatiana.

Więźniarki nie zrozumiały, o co chodzi.

Nowa miała ogromną grzywę kędzierzawych, grubych i gęstych włosów, która dwukrotnie powiększała jej głowę. Tak wiele zdrowia i wigoru jest zazwyczaj przywilejem mieszkańców Afryki... Tymczasem Olga, mimo śniadej cery, w ogóle nie miała murzyńskich rysów i musiała pochodzić z jakiegoś miasta Związku Radzieckiego, dziś bowiem znalazła się na Syberii, w kobiecym łagrze, do którego reżim zsyłał nieprawomyślne obywatelki.

– O co ci chodzi z tymi jej włosami?

– Moim zdaniem, pochodzi z Kaukazu.

– Masz rację. Tamtejsze kobiety noszą czasem siano na głowie.

– Potworne te kłaki, brr...

– Co ty gadasz! Są wspaniałe. Ja bym marzyła o takich... Sama mam cienkie i przylizane.

– Już chyba wolałabym umrzeć. Wyglądają jak jakaś sierść.

– Nie! Jak włosy łonowe!

Ostatnia uwaga Lili wywołała śmieszki, które jednak natychmiast zamilkły.

Tatiana zmarszczyła brwi i uciszyła grupę, stwierdzając:

– Może właśnie dzięki nim nam się uda...

Starając się przypodobać Tatianie, którą traktowały jak szefową, choć była taką samą więźniarką jak inne, próbowały zrozumieć, czego nie dostrzegły: jaką niby korzyść mogły odnieść z włosów nieznajomej w swym obozowym życiu niepewnego politycznie, przymusowo reedukowanego elementu? Tego wieczora obóz pokryła gruba warstwa śniegu. Na zewnątrz panowały ciemności, rozświetlone jedynie płomieniem latarni, którą usiłował zgasić wiatr. Temperatura spadła poniżej zera, co nie pomagało im w myśleniu.

– Chcesz powiedzieć, że...

– Tak. Chcę powiedzieć, że w takich włosach można ukryć wiele rzeczy.

Zapadła pełna szacunku cisza. Jedna z kobiet w końcu odgadła:

– Mogłaby tu wnieść...

– Tak!

Lili, słodka blondynka, która pomimo wyczerpującej pracy, ciężkiego klimatu i ohydnego jedzenia była nadal równie zaokrąglona jak zadbana dziewczyna, pozwoliła sobie zwątpić:

– Musiałaby o tym wcześniej pomyśleć...

– A niby czemu nie?

– No, ja zanim się tu zjawiłam, nigdy bym nie pomyślała...

– Ty na pewno. Ale mówimy o niej, a nie o tobie.

Lili, wiedząc, że Tatiana i tak, jak zawsze, będzie miała ostatnie słowo, puściła mimo uszu obrazę i z powrotem zabrała się do obrębiania spódnicy z grubej wełny.

Słychać było lodowate wycie śnieżnej burzy.

Tatiana zostawiła towarzyszki i środkowym przejściem skierowała się w stronę pryczy nieznajomej.

Postała przez chwilę, czekając, aż tamta da znak, że ją zauważyła.

W piecu dogasał słaby ogienek.

Kiedy nowa przez kilka minut nie wykazała oznak zainteresowania, Tatiana zdecydowała się przerwać ciszę:

– Jak się nazywasz?

Tatiana usłyszała wypowiedziane surowym głosem imię Olga – nie było przy tym widać, by tamta poruszała wargami.

– Za co cię zamknęli?

Na twarzy Olgi nie drgnął żaden mięsień – przypominała woskową maskę.

– Pewnie tak jak my wszystkie byłaś ukochaną narzeczoną Stalina, aż się w końcu tobą znudził?

Myślała, że powiedziała coś zabawnego – niemal rytualny żart, którym witano tutaj przeciwniczki stalinowskiego systemu – ale słowa ześlizgnęły się po nieznajomej jak płaskie kamyczki rzucone na taflę lodową.

– Ja mam na imię Tatiana. Chcesz, żebym ci przedstawiła pozostałe?

– Mamy czas, nie?

– Pewnie, tego nam nie brakuje... Będziemy w tej dziurze siedzieć miesiącami, latami... Może aż do śmierci...

– No więc mamy czas.

Olga zamknęła oczy i odwróciła się do ściany. Tatiana, zrozumiawszy, że nic więcej z niej nie wyciągnie, powróciła do swych towarzyszek.

– Jest twarda. To raczej dobrze. Mamy większe szanse, że...

Pokiwały potakująco głowami – nawet Lili – i postanowiły zaczekać.

Przez następny tydzień nowa wypowiadała najwyżej jedno zdanie dziennie, a i to trzeba było jej wyrywać z ust. Zachowanie Olgi wzmacniało nadzieję najstarszych więźniarek.

– Jestem pewna, że o tym pomyślała – stwierdziła w końcu Lili, z każdą chwilą coraz bardziej przekonana. – Zdecydowanie jest z tych, które by o tym pomyślały.

Wypełnione szarym tumanem dni przynosiły niewiele światła – kiedy mgła się rozwiewała, nad obozem zwieszał się, niczym armia strażników, nieprzenikniony, przygniatający dach chmur.

Ponieważ nikomu nie udało się zdobyć zaufania Olgi, liczyły na to, że kąpiel pod prysznicem pozwoli im dowiedzieć się, czy rzeczywiście nowa schowała we włosach... Ale było tak zimno, że żadna już nie odważała się rozebrać. Nie było jak wyschnąć, a potem się rozgrzać, co zmuszało je do pospiesznej i powierzchownej toalety. Odkryły ponadto, że szopa na głowie Olgi była tak zbita, że nie przepuszczała kropli deszczu - po prostu nosiła nieprzemakalną czapę.

- Cóż, trudno - zdecydowała Tatiana. - Trzeba zaryzykować.

- Zapytać ją wprost?

- Nie, pokazać jej.

- A jeśli ona kapuje? Jeśli wysłali ją po to, żeby nas nakryła?

- Nie wygląda na taką - stwierdziła Tatiana.

- Nie, zupełnie nie wygląda - poparła ją Lili, wypruwając nitkę ze swojej robótki.

- A właśnie że tak! Odgrywa tylko dziką, twardą i niemą, która z nikim się nie zadaje. Przecież to najlepszy sposób, żeby zdobyć nasze zaufanie!

To Irina, ku zdumieniu pozostałych kobiet, powiedziała, co o tym myśli - zadziwiając nawet siebie logicznością swego rozumowania. Ciągnęła więc dalej:

- Wyobrażam sobie, że jeśliby ktoś mi kazał szpiegować w baraku dla kobiet, nie mogłabym się do tego lepiej zabrać. Starałabym się uchodzić za milczącą samotnicę i w ten sposób, po pewnym czasie, skłoniłabym was do zwierzeń. To znacznie bardziej przebiegłe niż udawana serdeczność, nie myślicie? Może właśnie kabluje na nas najlepsza wtyka w całym Związku Radzieckim?

Lili, która natychmiast poczuła się całkowicie przekonana, z wrażenia wbiła sobie szpilkę w palec. Spojrzała z przerażeniem na kropelkę krwi.

– Chcę, żeby mnie natychmiast przenieśli do innego baraku!

Przerwała jej Tatiana:

– Dobrze myślisz, Irina, ale to tylko twoje przypuszczenia. Mam przeczucie, że jest zupełnie inaczej. Możemy jej zaufać, jest taka sama jak my. A nawet twardsza od nas...

– Poczekajmy jeszcze, bo jak nas przyłapią...

– Tak, masz rację, poczekajmy. A przede wszystkim spróbujmy postawić ją pod ścianą. Przestańmy się do niej odzywać. Jeśli to wtyka, spanikuje i będzie próbowała się do nas zbliżyć. Wtedy zdradzi nam swoją taktykę.

– Dobrze myślisz – poparła Tatianę Irina. – Zignorujmy ją i poczekajmy na jej reakcję.

– To potworne... – westchnęła Lili, ssąc palec, by przyspieszyć zabliźnienie ranki.

Przez dziesięć dni żadna więźniarka z pawilonu trzynastego nie odezwała się do Olgi. Na początku wydawało się, że nawet tego nie dostrzega, a potem, kiedy już zdała sobie sprawę, co się dzieje, jej spojrzenie stało się jeszcze twardsze, nieomal kamienne – nie wykonała jednak najmniejszego gestu, by rozbić otaczający ją lodowiec milczenia. Pogodziła się z izolacją.

Po zupie kobiety zebrały się wokół Tatiany.

- No to chyba mamy dowód? Nie złamała się.

- Tak, to przerażające...

- Och, ciebie, Lili, wszystko przeraża...

- No, ale przyznajcie, że to koszmarne: być izolowaną przez grupę, zdawać sobie z tego sprawę i nawet nie kiwnąć palcem, żeby z tym powalczyć! To niemal nieludzkie... Zastanawiam się, czy ona w ogóle ma serce, ta cała Olga.

- A kto ci powiedział, że ona nie cierpi?

Lili przerwała szycie i wbiła igłę w materiał - nie pomyślała o tym... Jej oczy natychmiast wypełniły się łzami.

- To przez nas jest nieszczęśliwa?

- Myślę, że była nieszczęśliwa już wtedy, gdy się tu zjawiła. A teraz jest jeszcze bardziej...

- Ach, nieszczęsna! Z naszej winy...

- Ale przede wszystkim sądzę, że możemy na nią liczyć.

- Tak, masz rację! - wykrzyknęła Lili, ocierając łzy rękawem. - Powiedzmy jej natychmiast! Aż mnie w sercu ściska, kiedy pomyślę, że jest taką samą więźniarką jak my i to przez nas jej życie stało się już całkiem nie do zniesienia.

Po kilkuminutowej naradzie kobiety postanowiły, że podejmą ryzyko i wyjawią Oldze swój plan, a zajmie się tym Tatiana.

Obóz ogarnęła senność; na zewnątrz panował trzaskający mróz; kilka niewidocznych wiewiórek hałasowało pomiędzy barakami.

Olga kruszyła lewą ręką zeschniętą skórkę chleba, w drugiej trzymała pustą miskę.

Tatiana podeszła do niej.

– Wiesz, że przysługuje ci paczka papierosów co dwa dni?

– Wyobraź sobie, że zauważyłam i nawet je wypalam!

Odpowiedź wystrzeliła z ust Olgi jak pocisk – nagły koniec milczenia bardzo przyspieszył jej wymowę.

Tatiana spostrzegła, że Olga, mimo swej agresywności, powiedziała więcej, niż mówiła jeszcze do niedawna; musiało jej naprawdę brakować kontaktu z ludźmi... Uznała, że może kontynuować:

– Ponieważ zauważasz wszystko, musiałaś też zwrócić uwagę, że żadna z nas nie pali. Tylko czasem, rzadko, kiedy w pobliżu są strażnicy.

– Ech... No tak... Nie. Co chcesz przez to powiedzieć?

– Nie zadałaś sobie pytania, do czego nam służą papierosy?

– No tak, rozumiem. Wymieniacie je, to obozowy pieniądz. Chcesz mi sprzedać? Nie mam czym zapłacić...

– Mylisz się.

– Jeśli więc nie płaci się pieniędzmi, to czym?

Olga zlustrowała Tatianę z podejrzliwym grymasem, jakby to, czego miała się dowiedzieć, z góry wprawiło ją w niesmak. Tatiana przez chwilę wstrzymała się więc z odpowiedzią:

– Nie sprzedajemy naszych papierosów ani ich nie wymieniamy. Służą nam do czegoś zupełnie innego niż palenie.

Poczuwszy, że wzbudziła ciekawość Olgi, Tatiana przerwała rozmowę. Wiedziała, że zyska przewagę, jeśli to tamta przyjdzie do niej, aby dowiedzieć się, o co chodzi.

Jeszcze tego samego wieczora Olga przystanęła koło Tatiany. Najpierw wpatrywała się w nią długo, jakby chciała, by to Tatiana przerwała ciszę. Na próżno – Tatiana odpłacała jej za pierwszy dzień pięknym za nadobne.

W końcu Olga nie wytrzymała:

– No to co robicie ze swoimi papierosami?

Tatiana odwróciła się i spojrzała jej prosto w oczy.

– Zostawiłaś po tamtej stronie kogoś, kogo kochasz?

Zamiast odpowiedzi na twarzy Olgi pojawił się bolesny skurcz.

– My także – ciągnęła Tatiana. – Pewnie, że brakuje nam naszych mężczyzn, ale dlaczego miałybyśmy się o nich martwić bardziej niż o siebie? Są w innych obozach. Nie, to dzieci spędzają nam sen z powiek...

Tatianie załamał się głos – przed jej oczami pojawił się obraz dwóch małych córeczek. Olga położyła współczująco dłoń na jej ramieniu; solidną, mocną, nieomal męską dłoń.

– Rozumiem cię. Ja zostawiłam tam córkę. Na szczęście ma już dwadzieścia jeden lat.

– Moje dziewczynki mają osiem i dziesięć...

Tatiana usiłowała powstrzymać łzy; nie mogła dalej mówić. Co zresztą miałaby powiedzieć?

Olga nagłym ruchem przyciągnęła ją do siebie i Tatiana – przewodząca całej grupie, wiecznie zbuntowana, niezłomna Tatiana – wypłakiwała się przez kilka minut w pierś nieznajomej, bo spotkała twardszą od siebie.

Kiedy wreszcie udało się jej uspokoić, podjęła przerwany wątek.

– Oto do czego służą nam papierosy: wysypujemy z nich tytoń i zachowujemy bibułki, a potem sklejamy je z sobą i w ten sposób mamy prawdziwe kartki papieru. Chodź, pokażę ci.

Tatiana uniosła jedną z desek podłogi i ze schowka pełnego ziemniaków wyjęła szeleszczący zwitek papierosowej bibułki, na której rysowały się zgrubienia połączeń - można by rzec, liczący sobie tysiące lat papirus, odkryty na Syberii jako jakaś niepojęta archeologiczna niespodzianka.

Położyła go ostrożnie na kolanach Olgi.

- Tak to wygląda. Z pewnością któregoś dnia któraś z nas stąd wyjdzie... Będzie mogła wziąć z sobą listy...

- To świetnie.

- Ale jak się domyślasz, jest pewien problem.

- Tak, widzę: kartki są puste.

- Puste z przodu i z tyłu. Nie mamy pióra ani atramentu. Próbowałam pisać krwią, nakłułam palec szpilką Lili, ale to prędko znika... Do tego źle się goiło. Mam kłopoty z gojeniem... Niedożywienie. A nie chcę iść do felczera, żeby nie wzbudzić podejrzeń.

- Po co mi o tym wszystkim opowiadasz? Co ja z tym mogę mieć wspólnego?

- Myślę, że ty też chciałabyś napisać do córki.

Olga zamilkła na dobrą minutę, a potem odparła szorstkim tonem:

- Tak.

- To zrobimy tak: my damy ci papier, a ty nam dostarczysz ołówek.

- Skąd ci przyszło do głowy, że mam ołówek? Po aresztowaniu najpierw odbierają wszystko, czym da się pisać. A potem wiele razy rewidują, zanim tu dotrzemy.

– Twoje włosy...

Tatiana nie ustępowała – wskazała zbitą grzywę otaczającą surową maskę Olgi.

– Kiedy cię po raz pierwszy zobaczyłam, pomyślałam sobie, że...

Olga przerwała jej machnięciem ręki i po raz pierwszy się uśmiechnęła.

– Miałaś rację.

Zachwycona Tatiana zobaczyła, jak Olga wsuwa dłoń za ucho, grzebie w splotach włosów, a potem z błyskiem w oku wyjmuje cienki ołówek. Podała go towarzyszce niewoli.

– No to interes ubity!

Nie sposób opisać radości wypełniającej serca uwięzionych kobiet przez kilka następnych dni. Mały kawałek grafitu przywrócił im ochotę do życia – oznaczał łączność z dawnym światem, dawał możliwość uściskania dzieci. Niewola nie była już tak ciężka; zelżało poczucie winy, bo niektóre wyrzucały sobie, że wybrały politykę, ryzykując życie rodzinne. Teraz gdy znalazły się w trzewiach gułagu, pozostawiając dzieci na łasce społeczeństwa, którego nienawidziły i z którym walczyły, nie potrafiły uchronić się od wyrzutów sumienia z powodu swej dawnej walki. Oskarżały się, że uciekły od rodzicielskich obowiązków i okazały się tak złymi matkami. Czy nie lepiej by było, wzorem tylu innych mieszkańców Związku Radzieckiego, siedzieć cicho i zająć się domem? Uratować skórę swoją i swych bliskich, zamiast walczyć o wszystkich współobywateli?

Na każdą z więźniarek przypadało kilka stron papieru, ale ołówek był tylko jeden. Po kilku naradach zadecydowały, że każda będzie miała prawo do trzech kartek z bibułki, a potem oprawi się je razem w zeszycik, który opuści obóz, gdy tylko nadarzy się okazja.

Poza tym każda z kobiet będzie musiała napisać list bez skreśleń, aby dla innych starczyło ołówka.

Tamtego wieczora decyzja wywołała zbiorowy entuzjazm, następne dni okazały się jednak bolesne. Każda z kobiet męczyła się, stając wobec konieczności zawarcia swych myśli na trzech kartkach papieru - jak zapisać wszystko na trzech małych karteczkach? Jak zredagować trzy tak ważne kartki, trzy maleńkie kartki, które są jak testament; mają pomieścić to, co w życiu najistotniejsze... Jak przekazać dzieciom własną duszę i wartości, wskazać im na zawsze, po co przyszła na świat?

Zadanie przerodziło się w torturę; co wieczór z prycz dochodziło szlochanie. Część kobiet popadła w bezsenność, inne jęczały dręczone nocnymi koszmarami.

Kiedy tylko przerwy w przymusowej pracy im na to pozwalały, starały się wymieniać pomysłami.

– Wytłumaczę mojej córeczce, dlaczego jestem tutaj, a nie u jej boku. Chciałabym, żeby mnie zrozumiała, może mi wybaczy...

– Trzy kartki pełne skruchy, by sobie oczyścić sumienie? Uważasz, że to dobry pomysł?

– A ja opowiem córce, jak spotkałam jej tatę. Aby wiedziała, że jest owocem miłosnej historii...

– Ach tak? A ona zaraz zada sobie pytanie, dlaczego nie kontynuowałaś historii miłosnej z nią.

– Ja mam ochotę opisać moim trzem dziewczynkom, jak przychodziły na świat; to były najpiękniejsze chwile w moim życiu.

– To trochę mało, nie uważasz? Nie myślisz, że mogą ci mieć jednak za złe, że twoje wspomnienia ograniczają się do ich porodów? Lepiej chyba byłoby im opowiedzieć o tym, co wydarzyło się potem.

– A ja pragnę, by wiedziały, co zamierzałam dla nich zrobić.

– Hmm...

Podczas tych rozmów odkryły pewną dziwną rzecz: wszystkie wydały na świat córki. Ów zbieg okoliczności najpierw je rozbawił, ale potem zaniepokoił do tego stopnia, że zaczęły się serio zastanawiać, czy przypadkiem władze nie podjęły świadomie decyzji, by barak trzynasty przeznaczyć wyłącznie dla matek, które mają córki.

Nie miało to jednak wpływu na ich udrękę: nadal nie wiedziały, co napisać.

Każdego wieczoru Olga wymachiwała ołówkiem, zadając pytanie:

– Która chce zacząć?

I za każdym razem zapadała martwa cisza.

Dawało się niemal odczuć upływ czasu, jakby krople ściekały ze stalaktytu na suficie jaskini. Kobiety czekały z opuszczoną głową, aż któraś z nich zawoła wreszcie „ja!" i na chwilę uwolni je od napięcia, ale po kilku kaszlnięciach i wymienionych ukradkiem spojrzeniach tylko co odważniejsze bąkały, że chcą się jeszcze zastanowić.

– Już prawie mam... Może jutro...

– Tak, ja też. Posuwam się do przodu, ale nie jestem jeszcze absolutnie pewna...

Kolejne dni mijały wśród szumu zawiei lub nieskalanej ciszy otulonej białym szronem. Najpierw przez całe dwa lata czekały na ołówek, a teraz upłynęły już trzy miesiące i żadna nie zdecydowała się o niego poprosić ani nawet nie przyjęła go z rąk Olgi.

Zapanowało zatem ogólne zdziwienie, gdy pewnej niedzieli, ledwie Olga podniosła ołówek w górę i wypowiedziała rytualne pytanie, odezwała się Lili:

– Ja chcę! Dziękuję.

Oniemiałe, zwróciły się w stronę niezbyt mądrej korpulentnej blondynki, najbardziej z nich wszystkich roztrzepanej i uczuciowej, najmniej za to zdecydowanej – krótko mówiąc, najzwyklejszej. Gdyby przyjmowano zakłady, która z więźniarek zacznie pierwsza pisać list, Lili znalazłaby się wśród ostatnich typów. Obstawiano by Tatianę, może Olgę albo Irinę... Ale słodka, tak zwyczajna Lili?

Tatiana, nie mogąc się powstrzymać, wyjąkała:

– Ty... Jesteś zupełnie pewna, Lili?...

– No tak. Tak myślę.

– Nie będziesz... gryzmolić, mylić się... To znaczy marnować ołówka?

– Nie, dobrze się zastanowiłam. Napiszę wszystko bez skreśleń.

Olga, pełna powątpiewania, wręczyła jej ołówek. Oddając go, wymieniła z Tatianą spojrzenia – wzrok tamtej utwierdził ją w przekonaniu, że robią błąd.

Przez następne dni kobiety z baraku trzynastego obserwowały Lili za każdym razem, gdy gdzieś na boku zabierała się do pisania. Siadała na podłodze i najpierw, wbijając oczy w sufit, szukała inspiracji, a potem to, co wymyśliła, przenosiła na papier, pochylając się nad kartką, by inne nie widziały, co pisze.

W środę oświadczyła z satysfakcją:
– Skończyłam. Która chce ołówek?
W odpowiedzi zapanowała ponura cisza.
– Która chce ołówek?
Żadna z kobiet nie odważyła się spojrzeć innym w twarz. Lili podsumowała więc spokojnie:
– No dobrze, chowam go we włosy Olgi i poczekajmy do jutra.
Olga jedynie mruknęła coś pod nosem, kiedy Lili wsuwała ołówek w jej grzywę.
Każda inna kobieta, mniej dobroduszna od Lili, bardziej świadoma złożoności ludzkiej duszy, zauważyłaby, że współmieszkanki baraku zaczęły spoglądać na nią z zazdrością, może nawet zabarwioną szczyptą nienawiści. Jak ta Lili o ptasim móżdżku zdołała zrobić to, z czym inne zupełnie nie dawały sobie rady?
Minął tydzień i co wieczór każda z kobiet przeżywała na powrót swą klęskę.
Wreszcie, w następną środę o północy, gdy równe oddechy świadczyły, że większość z więźniarek zasnęła, Tatiana, wyczerpana przewracaniem się na pryczy, zakradła się cicho do łóżka Lili, która z uśmiechem wpatrywała się w ciemny sufit.
– Lili, błagam cię, możesz mi powiedzieć, co napisałaś?
– No jasne, Tatiano. Chcesz przeczytać?
– Tak.

Ale jak to zrobić? W baraku dawno już zgaszono światła.

Tatiana przycupnęła pod oknem. Za pajęczyną rozciągała się nieskalana biel śniegu - światło księżyca w pełni sprawiało, że wydawał się niebieski. Wykręcając szyję, zdołała jakoś odcyfrować wszystkie trzy stronice.

Lili podeszła do niej i zapytała tonem małej dziewczynki, która coś zbroiła:

- No i co o tym myślisz?

- Lili, jesteś genialna!

I Tatiana chwyciła ją w ramiona, po wielekroć całując w pucołowate policzki.

Nazajutrz poprosiła Lili o dwie rzeczy: żeby mogła pójść za jej przykładem i żeby pozwoliła opowiedzieć o tym innym.

Lili opuściła powieki, zaczerwieniła się, jakby ktoś dał jej kwiaty, i wygruchała jakieś zawiłe zdanie, które miało znaczyć, że się zgadza.

Epilog

Moskwa, grudzień 2005.

Od tamtych wydarzeń upłynęło pięćdziesiąt lat.

Człowiek, który pisze te słowa, odwiedził Rosję. Reżim sowiecki upadł i nie ma już łagrów – co nie znaczy wcale, że zniknęła wszelka niesprawiedliwość.

W salonach ambasady francuskiej spotkałem się z artystami, którzy od lat grają moje sztuki teatralne.

Jedna z aktorek, pani około sześćdziesiątki, wzięła mnie pod ramię z serdeczną zażyłością, jakby mieszanką zuchwałości i respektu. Jej uśmiech promieniował dobrocią – nie było sposobu, by oprzeć się spojrzeniu jej fiołkowych oczu... Podprowadziła mnie do okna, z którego można było podziwiać tonącą w światłach Moskwę.

– Czy chciałby pan zobaczyć najpiękniejszą książkę świata?

– No cóż, wciąż jeszcze miałem nadzieję, że ją napiszę, a pani mi mówi, że już na to za późno...

Zastrzeliła mnie pani. Jest pani pewna? Najpiękniejsza książka świata?

– Tak. Nawet jeśli inni mogą pięknie pisać, ta jest z pewnością najpiękniejsza.

Usiedliśmy na jednej ze zbyt wielkich i wysłużonych kanap, stojących wśród boazerii w salonach ambasad na całym świecie.

Opowiedziała mi historię swojej matki, która miała na imię Lili i kilka lat spędziła w łagrze, a potem o kobietach, które na Syberii były jej współtowarzyszkami – wreszcie historię książki, którą wam opisałem.

– To ja przechowuję zeszyt – mówiła – bo to mama pierwsza opuściła barak numer trzynaście. Zaszyła go w spódnicach. Nie żyje, inne też już odeszły z tego świata. Ale córki jej towarzyszek niewoli przychodzą czasem do niego zajrzeć; pijemy herbatę, wspominamy nasze matki, a potem raz jeszcze czytamy, co nam napisały. Postanowiły, że to ja mam o niego zadbać. Nie wiem, co się stanie z zeszytem, kiedy mnie zabraknie. Czy znajdzie się jakieś muzeum, które go weźmie? Mocno w to wątpię. A przecież jest to najpiękniejsza książka świata. Książka naszych mam.

Zbliżyła twarz do mojej, jakby zamierzała mnie pocałować, i mrugnęła okiem.

– Chciałby pan ją zobaczyć?

Umówiliśmy się na następny dzień.

Ogromnymi schodami wspiąłem się do mieszkania, które zajmowała wraz z siostrą i dwiema kuzynkami.

Książka czekała na mnie na środku stołu, w otoczeniu herbaty i kruchych ciasteczek. Upływ czasu sprawił, że delikatne stronice zeszytu stały się jeszcze bardziej kruche.

Moje gospodynie posadziły mnie w fotelu o wytartych oparciach i zabrałem się do czytania najpiękniejszej książki świata, napisanej przez zbuntowane bojowniczki o wolność, które Stalin uznał za niebezpieczne – mieszkanki baraku numer trzynaście. Każda z nich napisała trzy strony do swych córek, nie bardzo wierząc, że jeszcze kiedykolwiek je zobaczy.

Każda ze stron zawierała przepis kulinarny.

Posłowie

Książka ta należy do literatury zakazanej.

Rok temu zaoferowano mi możliwość nakręcenia filmu fabularnego. Jako że w ramach przygotowań ciężko pracowałem, by nauczyć się panować nad językiem obrazu, kadrowaniem, dźwiękiem, montażem - byłem zmuszony powstrzymać się od pisania. Potem, tuż przed pierwszym klapsem, otrzymałem umowę, która zakazywała mi jazdy na nartach oraz innych niebezpiecznych sportów. Kiedy ją podpisałem, dano mi do zrozumienia, że byłoby lepiej, gdybym również nie pisał, choć przecież i tak nie miałbym na to czasu.

Ale to już była zbyt wielka prowokacja.

Tak zatem podczas kręcenia i montowania filmu korzystałem z rzadkich wolnych chwil, by w ukryciu przed ekipą popracować gdzieś na brzegu stołu. Pisałem też rano przy śniadaniu i wieczorami w pokojach hotelowych - w ten sposób powstały niniejsze opowiadania, które od dawna nosiłem w głowie. I znów, jak wówczas gdy byłem nastolatkiem, odczuwałem szczęście płynące z potajemnego pisania – zaczernianie stron odzyskało smak zakazanej przyjemności.

Zazwyczaj to filmy powstają dzięki literaturze, w tym wypadku jest dokładnie odwrotnie. Mój film nie tylko pozwolił mi na napisanie opowiadań, ale kiedy już był gotowy – to znów sprawa przekory – postanowiłem przerobić jego scenariusz na nowelę.

Zarówno film, jak i nowela noszą tytuł *Odette Jakkażda*, ale jeśli ktokolwiek interesujący się kinem i literaturą pozna obie wersje, zwróci przede wszystkim uwagę na różnice: chodziło mi bowiem o opowiedzenie tej samej historii w dwóch, stosujących różne środki wyrazu, językach: w książce słowami – a na ekranie ożywionymi obrazami.

Spis treści

Inne książki Erica-Emmanuela Schmitta w Znaku:

Oskar i pani Róża
Pan Ibrahim i kwiaty Koranu
Dziecko Noego
Małe zbrodnie małżeńskie
Opowieści o Niewidzialnym
Moje Ewangelie
Oskar i pani Róża w wersji audio
Kiedy byłem dziełem sztuki
Przypadek Adolfa H.
Małe zbrodnie małżeńskie z ilustracjami
Moje życie z Mozartem

Społeczny Instytut Wydawniczy Znak,
ul. Kościuszki 37, 30-105 Kraków. Wydanie I 2009.
Druk: Rzeszowskie Zakłady Graficzne SA, Miłocin 181 k. Rzeszowa.